Teatro y Vanguardia en Hispanoamérica

Concepción Reverte Bernal

Teatro y Vanguardia en Hispanoamérica

Concepción Reverte Bernal

Iberoamericana • Vervuert • 2006

Bibliographic information published by Die Deutsche Bibliothek
Die Deutsche Bibliothek lists this publication in the Deutsche Nationalbibliografie;
detailed bibliographic data are available on the Internet at <http://dnb.ddb.de>.

© Iberoamericana, 2006
Amor de Dios, 1 – E-28014 Madrid
Tel.: +34 91 429 35 22
Fax: +34 91 429 53 97
info@iberoamericanalibros.com
www.ibero-americana.net

© Vervuert, 2006
Wielandstr. 40 – D-60318 Frankfurt am Main
Tel.: +49 69 597 46 17
Fax: +49 69 597 87 43
info@iberoamericanalibros.com
www.ibero-americana.net

ISBN 84-8489-250-6 (Iberoamericana)
ISBN 3-86527-253-3 (Vervuert)

Depósito Legal: B-42.266-2006

Cubierta: Marcelo Alfaro. Diseño a partir de dibujo del Padre Ubú, hecho por Alfred
Jarry para su *Ubú Rey*
Impreso en España por Cargraphics
The paper on which this book is printed meets the requirements of ISO 9706

Índice

Nota del autor

Los grandes narradores suelen explicar que cuando empiezan un relato poseen una idea original y saben cómo empiezan, pero no cómo van a terminar. Algo así me ha sucedido con este libro, que, habiendo partido de una idea inicial muy meditada y tras acopio de abundante bibliografía, se ha desarrollado por derroteros que no eran los previstos; pues los textos teatrales abordados (y así creo que debería ser en la crítica textual seria) han ido imponiendo su enfoque. Hay, no obstante, unas cuantas pautas que se han mantenido en el análisis: la atención a la intertextualidad, tanto para examinar la interrelación de los distintos géneros practicados por el mismo autor, como para ver las transformaciones de un tema en escritores diferentes; la mirada global hispanoamericana o hispánica, que permite resaltar analogías entre personalidades del mismo período; el afán comparatista, entendiendo que los talentos más avanzados desean estar al día y competir con los más novedosos, aun cuando no pertenezcan al mismo dominio idiomático; la mirada interdisciplinar.

Como saben quienes me conocen, la gestación de este libro ha durado más de lo proyectado en un principio (por motivos de salud me vi obligada a interrumpirlo durante meses, reanudándolo más tarde); siendo como soy enemiga de las prisas para publicar, que eluden tareas difíciles, tengo que decir que esta contingencia me ha servido para añadir alguna bibliografía, modificando, cuando he visto la necesidad, algunos párrafos de la primera redacción y, sobre todo, para frecuentar más la Biblioteca Nacional de Madrid, donde he hallado un material esencial para mis reflexiones.

La mayor parte de este libro ha sido dado a conocer de modo fragmentario en publicaciones periódicas y comunicaciones en Congresos, que he retocado para su edición en el conjunto. El capítulo introductorio, "Planteamientos para un estudio del teatro de las Vanguardias en Hispanoamérica", apareció con igual nombre en *EscritoS. Revista universitaria de Arte y Cultura*, de la Universidad Central de Venezuela, III Etapa, n° 15, enero-junio 2002, pp. 85-106. El capítulo sobre el drama-ballet recogido en *Leyendas de Guatemala* por el gran escritor centroamericano, se presentó con el título "Sincretismo cultural en la Vanguardia teatral hispanoamericana: acerca de *Cuculcán* de Miguel Ángel Asturias", en el *Vème Colloque International Le Théâtre et le Troisième Millenaire: Rite, Fête et Théâtralité*, Université de Perpignan, CRILAUP, 4-6 de octubre del 2001. Las páginas destinadas al teatro de Huidobro han sido publicadas parcialmente en *Anales de Literatura Chilena*, de la Pontificia Universidad Católica de Chile, año 5, n° 5, diciembre 2004, pp. 61-88, bajo el título "Llaves de puertas secretas: Otros datos para la comprensión de *Gilles de Raiz* de Vicente Huidobro". "Releyendo a Vallejo: Vallejo como dramaturgo busca un camino personal", se leyó como comunicación en el *II Congreso Internacional de Peruanistas*, organizado por las Universidades de Harvard y Sevilla, y celebrado en Sevilla, del 1 al 4 de junio del 2004. Finalmente, el último capítulo, "Sirenas acriolladas: Conrado Nalé Roxlo y Francisco Arriví", ha sido escrito con el propósito de completar este libro y es por ello el único que no ha sido contrastado en foros críticos.

Como advertirá quien se anime a introducirse en estas páginas por curiosidad o interés, la profundización en los textos y la bibliografía que he ido utilizando permiten predecir que estos estudios no serán los únicos, sino que a ellos seguirán otros con el mismo asunto, lo cual servirá para completar la ambición hispanoamericanista con la que me aventuré a él. Se trata, por tanto, de un libro abierto, con un rasgo que unifica el conjunto: mostrar el deseo de actualizar el teatro de grandes poetas y narradores de la Vanguardia hispanoamericana, que previamente habían practicado otros géneros, situándolos a un nivel internacional.

I

Introducción: Planteamientos para un estudio del teatro de las vanguardias en Hispanoamérica

1. Ámbito cronológico

Con el Simbolismo empieza la modernidad literaria, que adopta su rostro actual en el período de las vanguardias, surgidas antes y después de la primera guerra mundial, por el impacto en los intelectuales de los adelantos científicos y el horror suscitado por la barbarie generalizada de la guerra, en un continente erigido como modelo de civilización. Pese a que la heterogeneidad de la literatura hispanoamericana comporta otras culturas, ésta queda enclavada en primera instancia en Occidente, por lo que su gran transformación sucede, como en Europa, en este momento histórico. Cada vez más aumenta el convencimiento de que son los artistas de Vanguardia los responsables de la renovación cultural en el siglo, iniciada en el ámbito literario por la poesía y la teoría literaria con sus manifiestos, para pasar posteriormente a otros géneros como la narrativa y el teatro[1].

Por esa oscilación de extremos contrarios que parece caracterizar el desarrollo de la cultura, del estudio exclusivamente textual y literario del teatro, hemos pasado, en las últimas décadas, a su análisis en el acto efímero de la puesta en escena, provocado por los avances en la misma gracias a su concepción como un todo orquestado de diversos elementos, que tiene como figura preponderante el director. Esta concepción del análisis teatral, recogida en la llamada Semiología del teatro y complementada, más adelante, con los trabajos sobre la Recepción teatral y la Interculturalidad, ha supuesto, sin duda alguna, un gran adelanto, pero, llevado este enfoque a la exageración, ha provocado el desligamiento

---

[1] Este capítulo viene a ser un marco general para el estudio de los autores que inician la renovación teatral hispanoamericana, rompiendo con el Realismo y Naturalismo decimonónicos.

del teatro del desarrollo literario, lo que puede impedir profundizar en algunos aspectos del mismo, desfigurando la realidad histórica[2].

En el ámbito de la literatura hispanoamericana se suele situar el período de las vanguardias en las décadas de los años 20 y 30 principalmente. En la crítica especializada, pienso que nadie discute hoy en día el papel iniciador del chileno Vicente Huidobro y como hitos cronológicos para su comienzo se suelen dar las fechas de 1914 (cuando Huidobro da a conocer su manifiesto "Non serviam", coincidiendo con el estallido de la primera guerra mundial) o 1916 (cuando el chileno pone rumbo a Europa y pronuncia en Buenos Aires su célebre conferencia que da nombre al Creacionismo). La fecha final, en cambio, suele fijarse de modo más difuso, considerándose 1940 como año en que empieza a hacerse patente el cambio de estilo.

Como ya he apuntado, los trabajos sobre las vanguardias literarias han puesto de manifiesto que la modificación que efectúan se produce en primer lugar en la poesía, para pasar después a otros géneros, como la narrativa, que en los poetas de Vanguardia constituye esos ejemplos de novela o prosa de Vanguardia y, quiero hacer hincapié ahora, también posteriormente al teatro. La crítica ha evolucionado paralelamente, centrándose en primer término en la poesía y los poetas, para los cuales hay bibliografía copiosa aunque con desequilibrios; pasando en una segunda instancia a la teoría crítica y la prosa de creación y, creo yo, que ha llegado la hora de examinar el teatro. Si atendemos a las figuras principales del llamado teatro de Vanguardia en Hispanoamérica, veremos cómo se trata en su mayoría de escritores que, habiendo recibido un reconocimiento como poetas o novelistas, deciden ensayar ese mismo rumbo en el teatro, lo cual es un modo de dar eco a la modernidad, poniéndola al alcance de un público más vasto, en una época en que otros medios de comunicación de masas, como el cine, estaban en ciernes y no existían ni la televisión ni internet.

Escasean los estudios sobre el teatro de las vanguardias en Hispanoamérica. Al margen de las explicaciones sobre el período en Historias que tratan de dar una visión de conjunto del teatro hispanoamericano, como

---

[2] Neglia, en "Introducción al Teatro Contemporáneo en Hispanoamérica", 1985: 24: "Existe el mito de que en Hispanoamérica el teatro se ha desarrollado independientemente de los otros géneros. Esta falsa noción, que deforma la realidad artística hispanoamericana, da lugar a un estudio separado del teatro". Ya antes Carlos Solórzano se había quejado de ello.

las de Carlos Solórzano (1964), Frank Dauster (²1973), Erminio Neglia (1985), Marina Gálvez (1988) o Adam Versényi (1993), sólo conozco dos libros que pretenden abarcar desde un punto de vista general el tema, el de Grínor Rojo: *Los orígenes del teatro hispanoamericano contemporáneo* (1972) y el de Frank Dauster: *Perfil generacional del teatro hispanoamericano (1894-1924)*, de 1993. Con todo, hay que decir que Dauster acota su libro a tres zonas: el Río de la Plata, México y Chile; y Rojo, de las cuatro direcciones fundamentales de desarrollo que encuentra en este teatro (de la imaginación o "imaginista", psicológico, metafísico y social), restringe su estudio a las dos primeras, según declara, por escasez de tiempo[3]. Vicky Unruh, en su libro *Latin American Vanguards. The Art of Contentious Encounters* (1994), se centra en la reflexión sobre el arte y la cultura de las vanguardias latinoamericanas, dedicando un capítulo a lo que ella llama los "Performance manifestos" de las mismas y otro a obras de teatro de la época, con el enfoque susodicho.

Tanto el libro de Rojo como el de Dauster emplean el método generacional[4], dando como fechas de inicio para la expresión vanguardista en el teatro hispanoamericano 1927 y 1924 respectivamente, y destacando ambos como momento clave 1928 –año de formación de *Ulises* en México–. Para su término señalan 1940, en el caso de Rojo, y 1954, en el de Dauster, que, según este último, sería la fecha de punto de partida para la generación siguiente. Las diferencias entre ambos críticos se deben sustancialmente a que Rojo, imitando lo que hicieran antes Cedomil Goic y sus discípulos en varios estudios[5], establece generaciones de 15 años, mientras que Dauster, de acuerdo con el *Esquema generacional de las letras hispanoamericanas* de José Juan Arrom[6], utiliza generaciones de 30. No obstante, conviene advertir que para el inicio de la Vanguardia teatral hay tan sólo una fluctuación de fechas entre

---

[3] No veo del todo clara la separación de líneas que propone Rojo. Como ejemplo de artículo reciente sobre el tema cabe citar "La renovación teatral de los años '30 en América Latina", de Obregón (2000: 27-51).

[4] Dauster, cap. I: "La problemática generacional". Según refiere Dauster (21), años más tarde Rojo rechaza este método en "En torno a la llamada generación de dramaturgos hispanoamericanos de 1927 más unas pocas observaciones sobre el teatro argentino moderno (Elementos de autocrítica)", *Revista de Crítica Literaria Latinoamericana*, 1982, 8, 16: 67-76.

[5] El principal, de Goic (1968): *La novela chilena actual. Los mitos degradados*. Santiago de Chile: Editorial Universitaria; vid. Rojo: 7, nota 1.

[6] Bogotá: Instituto Caro y Cuervo, ²1977.

ambos y que la divergencia mayor para el fin del período no lo es
tanto si se tiene en cuenta que, según Dauster, 1940 es el momento del
cambio interior en la generación del 24, como él mismo pone de relieve
en el cap. I del libro. Por otra parte, como toda nueva sensibilidad, la
Vanguardia teatral presenta sus prolegómenos, de ahí que las primeras
manifestaciones de la misma se retraigan al marco propuesto en ambos
casos[7]. Hay que añadir que a partir de 1940, que puede considerarse
efectivamente una fecha de inflexión, se fundan los Teatros Universi-
tarios hispanoamericanos, en 1941 el Teatro Experimental de la Universidad de Chile y en 1943 el Teatro Experimental de la Universidad
Católica del mismo país; en 1941 el Teatro Universitario de La Habana;
en 1942 el Departamento de Drama de la Universidad de Puerto Rico; en
1945 el Teatro Experimental Universitario de Ecuador, etc., imitando la
enseñanza teatral universitaria que había iniciado George Pierce Baker,
en la Universidad de Yale, en 1924[8]. De la misma manera que se sitúa
el inicio de la Vanguardia teatral hispanoamericana en las ciudades
de México y Buenos Aires, el teatro actual hispanoamericano se suele
inaugurar con *El gesticulador*, de Rodolfo Usigli, escrito en 1937 pero
estrenado en México una década después, en 1947, y con *El puente*, de
Carlos Gorostiza, estrenado en Buenos Aires en 1949. El protagonismo
de ambas ciudades resulta lógico teniendo en cuenta su condición de
focos principales de la cultura hispanoamericana del xx, por ser las
capitales de los países más extensos, ciudades grandes, con gran actividad editorial y cultural, concentración de artistas, etc. Por todo lo
anterior, manteniendo el paralelismo con la poesía y la narrativa que he
apuntado anteriormente, cabe proponer como ámbito cronológico para
la Vanguardia teatral hispanoamericana una franja que abarcaría de
los años 20 a la década de los 40 aproximadamente, con un final que se
extiende algo más que el grueso de las manifestaciones vanguardistas
de otros géneros.

---

[7] Como ponen de manifiesto Rojo y Dauster, las experiencias de los "Pirandellos"
o el Teatro del Murciélago en México son anteriores, así como el grotesco criollo en
Argentina.

[8] Cfr. Obregón 2000; William I. Oliver: "El cíclope de dos cabezas: educación teatral
en los Estados Unidos de Norte América" y José Luis Ramos Escobar: "La pedagogía
teatral en Puerto Rico: entre el método Stanislavskiano, el lastre del realismo y la experimentación universitaria", en Reverte; Oliva (eds.) 1996: 31-41 y 43-52.

En los estudios sobre poesía de Vanguardia hispanoamericana se ha puesto de relieve cómo en un primer momento prima el deseo de cambio con respecto al movimiento anterior, que es el Modernismo, para pasar después a una sedimentación de los aspectos innovadores, que conduce a la creación de las obras maestras de la poesía de Vanguardia. Si nos fijamos en lo que parece suceder con el teatro, en las primeras expresiones de la Vanguardia teatral hispanoamericana, que fue obra de escritores de otros géneros, destaca el afán de ruptura con el mimetismo trasnochado que impera en el teatro, para ir atemperándose después las novedades y dar origen, en una segunda etapa, al nuevo teatro, ejecutado ya por dramaturgos profesionales. En esta segunda etapa confluyen tanto el salto al teatro comercial de dramaturgos experimentales como la aparición de otros nuevos.

Por otra parte, en relación a los trabajos de Rojo y Dauster yo propongo un cambio de perspectiva, pues si en ambos casos parten de la definición de la generación, es decir, de los coetáneos, para analizar la Vanguardia, yo sigo la dirección inversa, que es el análisis en primer lugar de las manifestaciones del teatro de las vanguardias, para hacer posteriormente referencia a otros autores de la generación.

2. HACIA UNA CARACTERIZACIÓN DEL TEATRO DE LAS VANGUARDIAS HISPANOAMERICANAS. TEATRO EUROPEO Y TEATRO HISPANOAMERICANO

Desde el punto de vista de la bibliografía general, la Vanguardia literaria hispanoamericana es definida por una serie de rasgos. Merlin H. Forster, K. David Jackson y Harald Wentzlaff-Eggebert empiezan los volúmenes de su extensa *Bibliografía y Antología Crítica de las Vanguardias literarias en el Mundo Ibérico*, que se viene publicando desde 1998, con una definición de "La vanguardia en telegrama" que reproduzco ahora por su utilidad[9]:

---

[9] La definición se repite igual en la Introducción: "Cinco Prefacios" de todos los volúmenes. Para mayor comodidad, al transcribirla sustituyo los "stop" que separan las frases por barras. Dado que existen pocas definiciones breves de la Vanguardia hispanoamericana a nuestro alcance he recurrido a ella, no obstante haber aspectos que podrían ser discutibles, como la adscripción tan rotunda de autores que hacen a algunas de sus características.

SOBRE VANGUARDIA: vanguardia esencialmente vanguardia literaria / contribuyó de forma definitiva a la modernidad / tiene que ver con ideas muy discutidas / lo mismo en Italia y Francia como en el mundo ibérico / conceptos radicales [OSWALD DE ANDRADE] / rechazo de la tradición [GIRONDO] / fragmentación [GÓMEZ DE LA SERNA] / síntesis [BORGES] / cinematografía [GARCÍA LORCA] / formalismo geométrico [SALVAT-PAPASSEIT] subconsciencia mítica [ASTURIAS] / energía mecánica [MAPLES ARCE] / radicalización cultural [MÁRIO DE ANDRADE] / lenguaje experimental [VALLEJO] / tipografía no convencional [HUIDOBRO] / percepción pura de lo nuevo [PESSOA].

SOBRE VANGUARDIA: reconocimiento creciente de su importancia y complejidad / movimiento trascendental con repercusiones internacionales / términos utilizados: avant-garde, vanguardia o vanguardismo / los movimientos literarios más radicales/ ruptura con la mímesis artistotélica / transforma la crítica cultural y la experimentación artística / revoluciona el arte, la literatura y por último la vida misma / el comienzo de una era nueva / el impacto de la vanguardia se puede comparar al del renacimiento.

SOBRE VANGUARDIA: borró las fronteras entre el arte y la literatura / manipuló los géneros literarios / transformó en poéticas las cosas no poéticas / exaltó la diversidad de expresión / hizo gala del dinamismo conceptual.

SOBRE VANGUARDIA: el término vanguardia utilizado ahora libremente / se refiere a cualquier producción atrevida o impactante / el uso universal del término relaciona lo contemporáneo con lo histórico.

SOBRE VANGUARDIA: las vanguardias históricas eran el futurismo, el cubismo, el dadaísmo, el surrealismo, etc. / cambiaron las percepciones del mundo, la humanidad y a sus propios protagonistas / estas tempranas rebeliones importantes a través de sus artistas y escritores / apoyaron actividades creativas que han continuado durante todo el siglo / sus técnicas pueden funcionar para conectar las vanguardias históricas con el postmodernismo.

SOBRE VANGUARDIA: se ha convertido en un discurso y un paradigma para escribir literatura / ha guiado la crítica contemporánea hacia la era postmoderna / vanguardismo reconocido ahora como un movimiento internacional con poder y amplitud / incluye figuras de primer rango en muchas literaturas nacionales / esta serie se abre al estudio de las vanguardias literarias, sin limitación de lenguaje o nacionalidad.

SOBRE VANGUARDIA: la vanguardia nunca se detiene.

Esta definición sintética de la Vanguardia literaria iberoamericana recoge aspectos que se atribuyen a la Vanguardia teatral de las primeras décadas del siglo. Si nos centramos en ésta, cabe empezar diciendo que la Vanguardia teatral hispanoamericana, acorde con el internacionalismo atribuido a las letras hispanoamericanas de nuestro siglo, se caracteriza por su eclecticismo[10]. Dauster, en las "Reflexiones finales" de su libro (198), establece un paralelo entre el Río de la Plata y México:

> Los repertorios de los mexicanos y de los argentinos se parecen de una forma notable: además de algunos autores locales, en los dos países hallamos obras o claras influencias de Synge, Cocteau, Coward, Romains, Musset, Barrie, Lenormand, O'Neill, Lorca, Evreinov, Schnitzler, Giustavino, Priestley, Chéjov, Ibsen, Strindberg, Andreiev, Vildrac, Shaw, Jonson, Molière, Odets, Giraudoux, Maxwell Anderson, Bracco, Maeterlink, Dunsany, San Secondo, Rice... O sea lo mejor del teatro internacional, y sobre todo del siglo veinte.

Y, previamente, a lo largo del libro ha insistido en repetidas ocasiones en que lo que predomina en la escena hispanoamericana nacional a la llegada de las vanguardias no es "un realismo bien hecho", sino "las fórmulas de un romanticismo trasnochado", en el decir de Dauster[11], junto con los epígonos de un teatro popular constituido por sainetes costumbristas, género chico criollo o teatro de variedades, con puestas en escena en las que el peso de las obras recaía en la popularidad del galán o la primera dama de turno, que se expresaban mediante un acento peninsular forzado, escenografías precarias, teatros mal acondicionados, etc. También existe en la época un teatro extranjero hecho por compañías de gira por América. Hay que recordar que, al margen del afán de universalidad y actualidad de los escritores de Vanguardia, muchos de ellos residieron temporalmente en París, ciudad en la que se concentraban en aquella época las novedades de la escena mundial, lo que ofrecía un contraste clarísimo con la pobre realidad teatral de sus respectivos países. De ahí que en Hispanoamérica influyan de modo simultáneo figuras o corrientes que se suceden en el tiempo en Europa o que corresponden a regiones distintas.

---

[10] Agustín Muñoz-Alonso López, en la "Introducción" a *Teatro español de Vanguardia* (25), atribuye a éste el mismo rasgo; sin embargo, tal como veremos a lo largo de estas páginas, en el caso americano el eclecticismo es mayor, al añadir cuestiones propias de América.

[11] Pienso que con esta expresión Dauster quiere poner de relieve tanto la confusión entre romanticismo costumbrista y realismo, como el gusto por un teatro histórico y sentimental al estilo de los españoles Zorrilla –que se sigue representando–, Bretón de los Herreros o Echegaray.

Para tratar de abordar el estudio del teatro de las Vanguardias en Hispanoamérica conviene repasar brevemente el contexto teatral europeo. Marie-Claude Hubert, en su excelente panorama *Les grandes théories du théâtre* (1998: 208), señala tres direcciones en el camino del teatro hacia la modernidad:

> Trois conceptions du théâtre, profondément antinaturalistes, coexistent au xxe siècle. Pour des théoriciens comme Appia, les Symbolistes, Jarry, Craig ou Schlemmer; la scène est un lieu de symboles où se projettent, de façon abstraite et stylisée, une vision du monde. Art sacré pour des théoriciens comme Artaud, Stanislavski ou Grotowski, le théâtre met en jeu des forces primitives qui, pour susciter chez le spectateur une véritable révélation, exigent de l'acteur un don total. Art politique pour des théoriciens comme Meyerhold, Piscator et Brecht, il demande également un engagement de l'être entier.

En relación a Hispanoamérica, en primer lugar, hay que decir que aunque se rechace la práctica escénica obsoleta, los grandes dramaturgos del Realismo o Naturalismo siguen ejerciendo un influjo en los vanguardistas hispanoamericanos, pues intentan educar a los espectadores a través de un teatro de repertorio. Por ello, entre los autores representados por los grupos vanguardistas en sus teatros se cuentan Henrik Ibsen (1828-1906), Anton Chéjov (1860-1904), los dramas naturalistas de August Strindberg (1849-1912), Oscar Wilde (1856-1900), Bernard Shaw (1856-1950) o John M. Singe (1871-1909). Dentro de este mismo estilo, el autor y director ruso Nikolai Evreinov (1879-1953), también considerado preexpresionista, será conocido por su espectáculo de masas *El asalto al Palacio de Invierno* (1920), con el que se conmemoró el tercer aniversario de la revolución rusa, y por su ensayo *Teatralización de la vida* (1922). Más próximo a los hispanoamericanos, en tiempo y espacio, influirá mucho en ellos el realismo psicológico de Eugene O'Neill (1888-1953).

El peso de la ingente población italiana llegada al Río de la Plata desde la segunda mitad del siglo xix, como consecuencia de la política de los gobiernos unitarios, se dejará sentir en el teatro, tanto en las obras gauchescas, como en el sainete criollo y posteriormente el grotesco. Como han explicado Erminio Neglia y Claudia Kaiser-Lenoir[12], los autores del

---

[12] En *Pirandello y la dramática rioplatense* (1970): Firenze: Valmartina Editore y *El grotesco criollo: estilo teatral de una época* (1977): La Habana: Casa de las Américas, respectivamente.

teatro grotesco italiano: Luigi Antonelli, Rosso di San Secondo, Enrico Cavacchioli, Roberto Bracco y, sobre todo, Luigi Pirandello (1867-1936) serán conocidos en la Argentina. El propio Pirandello viajará al país americano, y su obra más conocida, *Seis personajes en busca de autor* (1921), se estrenará casi al tiempo en Argentina que en Italia; allí Enrique Santos Discépolo será su mejor director. El grotesco italiano es una de las fuentes del grotesco criollo argentino, cuyo autor más famoso es Santos Discépolo. Su huella se revela asimismo en el argentino Defilippis Novoa y en numerosos dramaturgos hispanoamericanos. Por ejemplo, los dramaturgos mexicanos que pretenden reformar la escena nacional a principios del siglo son apodados los "Pirandellos". De Pirandello toman los hispanoamericanos el uso del metateatro como medio de romper la ilusión escénica y el desdoblamiento del personaje entre la máscara y el rostro (título de un grotesco italiano de Chiarelli), es decir, entre el ser social y el ser íntimo o profundo.

Del Simbolismo teatral, como el poético, reacción antinaturalista en Europa, tomarán la búsqueda de la *Idea* por medio de la intuición y meditación, la realidad más profunda que subyace al mundo natural; de ahí el valor que conceden al mito. El Simbolismo da origen a un teatro poético, con una religiosidad heterodoxa –desde el punto de vista del Catolicismo de la época– que gusta del mundo de los sueños y de la fantasía. Prácticas escénicas de este teatro serán, por ejemplo, tal como resumen César Oliva y Francisco Torres Monreal (1990): "la agrupación de diferentes lenguajes escénicos: conjunción de música y palabra, recitados, coros; uso de la danza, modos especiales de movimientos escénicos; empleos múltiples de la iluminación, particularmente en su dimensión psicológica y mágica, a fin de crear climas y ambientes de ensueño y de misterio"; "los desdoblamientos y metamorfosis de un mismo personaje, a fin de mostrar sus múltiples caras o los diferentes períodos de su vida; o para proyectar y enfrentar su dimensión real con sus dimensiones más trascendentes"; "los contrastes de lenguajes, originados por las asociaciones oníricas o los presupuestos desmitificadores del dramaturgo"; "la forma ceremonial, según la cual los distintos lenguajes escénicos se ordenan ritualmente de acuerdo con un código preestablecido". Como se sabe, representantes de la escena simbolista europea serán el poeta Stéphane Mallarmé, É. Dujardin, Joseph Péladan, el ruso Leonid Andreiev (1871-1919) y el belga Maurice Maeterlinck (1862-1949). La materialización de la escena simbolista será llevada a cabo en Francia por el Teatro de

Arte formado por Paul Fort y Lugné-Poe en París, en 1890, que reacciona contra el Teatro Libre de Antoine y contra las escenografías wagnerianas –a la par inspiradoras del concepto de teatro total–, por considerarlos excesivamente detallistas. Se basan en el poema "Correspondances" de Baudelaire para sus escenografías, centrándose en luces y colores, en lo cual coincidirán con los principios teóricos del escenógrafo y director inglés Edward Gordon Craig (1872-1966) y del suizo Adolphe Appia (1862-1928). La escenografía simbolista es encargada a pintores significativos y con ella se pretende estimular la imaginación del espectador, evitando que la profusión del decorado disminuya el poder de las palabras para crear un clima anímico general; en el ámbito de la colaboración entre músicos y dramaturgos, por ejemplo, Débussy escribirá para Maeterlinck la música de *Pelléas et Mélisandre* (1893), mientras que los compositores Erik Satie, Darius Milhaud y Arthur Honegger estarán vinculados al teatro de Paul Claudel. Junto con Maeterlinck, el dramaturgo preferido para esta puesta en escena será el expresionista sueco August Strindberg, cuya *Comedia de sueños* (1902) será dirigida por Rudolph Bernauer (1916) y Max Reinhardt (1921) en Alemania y por Antonin Artaud (1928) en Francia. Artaud llevará asimismo a escena *La sonata de los espíritus* (1907) de Strindberg. La presencia de citas, traducciones y representaciones de estos autores en la época en Hispanoamérica es clara, siendo aún un campo poco investigado cómo se adapta su estilo a la dramaturgia local.

El Expresionismo alemán tuvo su esplendor entre 1910-1925 y, como el Simbolismo, se oponía al naturalismo positivista anterior. En Alemania refleja el malestar ocasionado por guerras y convulsiones políticas y sociales, lo que se traduce en un teatro de realismo desfigurado, con fuertes contrastes en la iluminación, música y decorados sombríos, tal como vemos en el cine. María Luisa López[13] concretaba estas novedades escenográficas en el uso de la iluminación indirecta, la cámara de cortinas sustituyendo a la decoración pintada, el claroscuro, la cámara negra, empleada por Stanislavsky, que daría lugar posteriormente a la cámara parda de Brecht. Los dramas poseen una caracterización abstracta (los personajes llevan nombres genéricos a excepción del protagonista), la estructura es circular, hay símbolos, la acción es vista como un sueño,

---

[13] "El teatro expresionista y su repercusión en España" (*Letras de Deusto* 1972); se refiere a esto en 53.

el lenguaje se reduce a palabras aisladas. El teatro expresionista exige un modo diferente de actuación, no mimético sino condicionado: el actor no debe fingir la realidad pero sí la verdad emocional absoluta. Subyace en este teatro la idea del "alma colectiva", para lo cual se desarrollan técnicas que proyectan emociones arquetípicas en términos físicos, mediante ritmos de desplazamiento, posturas y gestos simbólicos; López recuerda aquí (54) el uso de un maquillaje facial exagerado, que equivale a una máscara. Este estilo de actuación fue llevado al cine mudo y a la danza contemporánea, en esta última en la "euritmia" de Émile Jacques-Dalcroze y la "eucinética" de Rudolf von Laban, quienes ejercieron influjo en la escuela de danza de Mary Wigman. Se dice que a excepción de Strindberg, los dramaturgos expresionistas no tendrán tanta repercusión individualmente; creadores escénicos expresionistas serán Lothar Schreyer, Oskar Schlemmer, recordado por su *Ballet Triádico* (1922), y el director, entre Naturalismo y Expresionismo, Max Reinhardt (1873-1943).

Con Simbolismo y Expresionismo se rompe la estructura tradicional del drama en tres actos, con introducción, nudo y desenlace, para pasar al uso de una sucesión de escenas o cuadros, que llevan en ocasiones el nombre de "retablo"; con esto se imita el montaje cinematográfico. Se produce una moda medievalista, que da origen a piezas que se titulan "misterios" o, en la tradición hispánica, "autos". Piénsese, por ej., en los *Autos profanos* de Xavier Villaurrutia o en *El hombre deshabitado*, auto sacramental moderno, de Rafael Alberti.

Alfred Jarry (1873-1907) y su *Ubú rey* (1896) llega a los vanguardistas a través de Antonin Artaud (1896-1948), cuyo Teatro en París lleva el nombre de aquél. Ambos son responsables del uso del género "farsa" moderno, que tanta importancia ha tenido en el teatro posterior[14] y que constituye el antecedente del llamado *Teatro del absurdo o absurdista hispanoamericano*[15]. Tal como destaca Innes[16], para Artaud el teatro debía

---

[14] En diversos diccionarios teatrales se trata de la historia del género: presente en la Antigüedad clásica, toma el nombre de la Edad Media francesa; retomado por los autores de *vaudeville* de fines del XIX, pasa a convertirse con los vanguardistas en el drama metafísico contemporáneo. Rojo (1972) trata en un apartado del género en Hispanoamérica; un ejemplo de uso consciente, el título *Dos farsas pirotécnicas*, de Alfonsina Storni. Véase también Peral Vega 2001.

[15] Véanse Quackenbush y Zalacaín.

[16] *El teatro sagrado*, ampliado posteriormente como *Avant Garde Theatre. 1892-1992*.

desarrollar un lenguaje ritual, y el arte, en lugar de reflejar el mundo, era una forma superior de realidad. Artaud, junto con Roger Vitrac, encarnan el Surrealismo en el teatro. En el Teatro Alfred Jarry se llevaron a escena varias obras de Vitrac: *Entrada libre* (1922), *Los misterios del amor* (1927), *Víctor o los niños al poder* (1929); la única obra larga de Artaud llevada a escena fue *Los Cenci* (1935), que chocó mucho por su deliberado antinaturalismo.

Artaud utiliza en su teatro el *shock* para anular la respuesta racional y liberar el inconsciente. Volviendo a Innes, éste afirma: "Esta insistencia en la realidad presentada con precisión alucinante o percibida desde ángulos insólitos (y doblemente antinatural en el contexto simulado de un teatro) es la nota clave del enfoque de Artaud" (1992: 93). Su relación con el cine de la época fue estrecha, entre otros motivos porque Artaud intervino como actor en películas tan significativas como *Napoleón*, de Abel Gance, y *La Pasión de Juana de Arco*, de Carl Dreyer. Artaud redacta sus "Manifiestos del teatro de la crueldad" entre 1932 y 1933, recogidos en *El teatro y su doble* (1938). Su teatro evoca inmediatamente, por ejemplo, las piezas teatrales conservadas de Vicente Huidobro. Hay que recordar asimismo el viaje de Artaud a México en 1936, en el que intervinieron Jaime Torres Bodet, agregado cultural de México en Francia, dándole cartas de recomendación para que fuese atendido en el país, uno de los Gorostiza, ayudándolo a traducir allí sus textos al español, y Ortiz de Montellano, escribiendo sobre él durante su estancia en el país americano[17].

El uso de marionetas se extiende en este momento como reacción contraria al divismo de los actores[18]. El escenógrafo y director Gordon Craig aboga por un actor deshumanizado, tal como expone en su teoría de la "Supermarioneta", y Artaud se sirve de actores no profesionales para sus espectáculos. Craig divulgará sus ideas mediante *El arte del teatro* (1905). El interés de los escritores de Vanguardia tanto españoles como hispanoamericanos por títeres y marionetas tiene aquí explicación.

Bien a través de sus lecturas de Freud o Jung, bien a través de Simbolismo, Expresionismo, Dadaísmo, Artaud o el Surrealismo, hay un interés por la irracionalidad y el primitivismo, lo ritual[19]. En este contexto

---

[17] Luis Mario Schneider (1978): *México y el surrealismo (1925-1950)*.

[18] Véase el excelente monográfico de la revista *Puck* sobre *La Vanguardia y los títeres*.

[19] Sostiene Innes (1992: 11): "Bajo las variaciones de estilo y tema aparece un interés predominante en lo irracional y lo primitivo, que tiene dos facetas básicas y complemen-

importa la tragedia como género dramático y los grandes mitos clásicos son reinterpretados. Por mencionar unos pocos ejemplos hispanoamericanos[20], cabe citar *Ifigenia cruel* (1923), de Alfonso Reyes, *La viuda de Apablaza* (1928), de Germán Luco Cruchaga, *Proteo* (1931), de Francisco Monterde, *La hiedra* (1942), de Xavier Villaurrutia, *Electra Garrigó* (1948), de Virgilio Piñera, o *Antígona Vélez* (1951), de Leopoldo Marechal.

Uno de los aspectos más interesantes del teatro de Vanguardia hispanoamericano es, a mi juicio, la nacionalización de temas y mitos, y la síntesis entre aspectos del último teatro europeo con otros de fundamento antropológico negro o indígena; como sucede en la pequeña pieza *El Sombrerón*, de Bernardo Ortiz de Montellano, basada en el mismo relato que da origen a una de las *Leyendas de Guatemala* de Miguel Ángel Asturias o en el ballet *Cuculcán*, de Asturias, publicado en la misma colección. Aquí se está viendo ya la tendencia a lo espectacular que caracteriza el teatro posterior.

A través de la figura de Jacques Copeau (1879-1949), director de la *Nouvelle Revue Française* entre 1909 y 1913 y quien funda una escuela de arte dramático, en 1920, dirigida por Jules Romains (1885-1972), los hispanoamericanos pudieron entrar en contacto con el teatro de Romains, Charles Vildrac (1882-1971) y André Gide (1869-1951). En 1924 Copeau deja el Théâtre du Vieux Colombier para dedicarse a la investigación teatral, hasta 1929. Otras figuras de la escena francesa de las primeras décadas del siglo serán los poetas y dramaturgos Paul Claudel (1868-

---

tarias: la exploración de estados oníricos o los niveles instintivo y subconsciente de la sique, y un enfoque casi religioso en el mito y la magia, la experimentación con pautas rituales y ritualistas de actuación. Éstas forman un *leitmotiv* que también encuentra expresión en otras artes cercanamente relacionadas, en particular la danza moderna o el cine temprano; y los dos aspectos gemelos quedan integrados en el dudoso concepto junguiano de que todas las figuras del mito están contenidas en el inconsciente como expresiones de arquetipos sicológicos, y por la idea de que el pensamiento simbólico o creador de mitos precede al lenguaje y a la razón discursiva, revelando unos aspectos fundamentales de la realidad que no pueden conocerse por otros medios. Los diferentes grupos también están unidos como variaciones del mismo objetivo: retornar a las *raíces* del hombre -ya sea en la sique o en la prehistoria- que se refleja en el nivel estilístico por el retorno a formas *originales* de drama, ritual dionisiaco y los misterios de Eleusis, drama tribal de Nueva Guinea y supervivencias arcaicas como la danza balinesa".

[20] Véase, por ejemplo, Obregón: "Pervivencia de mitos griegos en obras dramáticas hispanoamericanas contemporáneas", recogido en su *Teatro latinoamericano, un caleidoscopio cultural* : 39-51.

1955) y Jean Cocteau (1889-1963). El espectáculo *Parade*, de los Ballets Rusos en París, con libreto de Cocteau, música de Satie, coreografía de Massine y decorados y vestuario de Picasso, causará una gran impresión en 1917. Claudel, cuya obra *El reparto del mediodía*, será convertida en farsa por Artaud, en 1928, será posteriormente el dramaturgo preferido por el famoso director Jean-Louis Barrault, considerado el principal seguidor del teatro de Artaud[21]. El teatro del narrador y dramaturgo Jean Giraudoux (1882-1944) guarda relación con obras iberoamericanas, como sucede con su *Ondina* (1939), emparentada con *La cola de la sirena* (1941), del argentino Conrado Nalé-Roxlo[22].

Aunque el teatro político no empezará a cobrar auge en Hispanoamérica hasta los años cincuenta, alcanzando su mayor proyección internacional con la llamada creación colectiva, en este momento se produce también el influjo de un primer teatro político. Un personaje bastante citado en estas décadas será Romain Rolland (1866-1944), Premio Nobel de Literatura en 1915, cuyo teatro pasará por diversas etapas, del Simbolismo al teatro político. Creador de una reflexión sobre *El teatro del pueblo. Ensayo de una estética de un nuevo teatro* (1903), que obtuvo bastante eco en Europa y, al parecer también en Hispanoamérica, particularmente en el aún escasamente estudiado teatro obrero. Osvaldo Obregón, en un artículo sobre el tema[23], deriva de su influjo los también llamados Teatro del Pueblo de Argentina y Uruguay, el Teatro Popular Cubano, el Grupo de Teatro Social de Bolivia, el Teatro de Ahora, Trabajadores del Teatro y el Teatro del Sindicato de Electricistas, transformado en Teatro de las Artes, de México. Otro teatro político de esta hora será el calificado como "teatro épico", cuyos principales representantes serán el director marxista Erwin Piscator (1893-1966) y el primer Bertolt Brecht (1898-1956). Piscator, conocido como responsable de la llamada "nueva objetividad", hace un teatro de propaganda política con calidad, para el que recluta aficionados, y que lleva novedosamente a los ámbitos

---

[21] Por ejemplo, por Innes (1992).

[22] Rojo hizo ya esta observación, junto con otras muchas de literatura comparada. Es inevitable la asociación con *La sirena varada* , de Alejandro Casona, escrita en 1929, Premio Lope de Vega en 1933 y estrenada en 1934.

[23] "*El teatro del pueblo* de Romain Rolland y la resurgencia de sus ideas sobre el teatro popular en América Latina", *Teatro latinoamericano. Un caleidoscopio cultural* : 67-81, donde cita Pedro Bravo Elizondo: *Cultura y teatro obreros en Chile: 1900-1930*, Madrid: Ediciones Michay, 1986.

naturales del proletariado –por ejemplo a una fábrica–, convirtiéndolos en escenarios. Su intención era romper con las convenciones del teatro obrero, ejecutado hasta entonces como el teatro burgués. En Berlín, Piscator trabaja sucesivamente en el Teatro Proletario, la Volksbühne y la Nollendorfplatz, entre 1919 y 1931. En 1931 viaja a la Unión Soviética y de 1934 a 1936 será Presidente de la Liga Internacional de Teatro Revolucionario. Dauster menciona la cita expresa de Piscator por un dramaturgo de la época que es el chileno Antonio Acevedo Hernández, que parece, en términos generales, más bien, un rezagado del realismo. Aunque *La ópera de perra gorda* (1928) de Brecht es mencionada, por ejemplo, por Vicente Huidobro en su farsa *En la luna*, el mayor influjo de su teatro en Hispanoamérica es posterior.

Dada la necesidad que tienen los autores vanguardistas hispanoamericanos de crear un público, al no poder llevar a escena sus obras en los circuitos del teatro comercial, se reúnen en casas particulares o pequeñas salas para representarlas, haciendo teatros de cámara que emulan experiencias extranjeras, como el Teatro irlandés de la Abadía. De aquí surgirán los teatros independientes de Hispanoamérica, cuyo comienzo se suele citar en la fundación del Teatro del Pueblo, por Leónidas Barletta, en Buenos Aires, en 1930. En estos pequeños círculos se efectuará el aprendizaje que conducirá más adelante a los jóvenes intérpretes, directores y dramaturgos al teatro profesional.

Probablemente, la gran contradicción que encierra el teatro de las vanguardias sea que trata de conjugar el egocentrismo propio del escritor vanguardista con la escena moderna, que resta protagonismo al texto en favor del director y del montaje.

Estas breves notas sobre la escena contemporánea y el teatro de hispanoamericano de las vanguardias, muestran un rico campo de investigación sobre relaciones culturales y literatura comparada[24], para que los nombres que se documentan o citan como posibles modelos teatrales puedan ser calibrados en su justa medida, examinando hasta qué punto nos encontramos con traducciones o adaptaciones y, sobre todo, para profundizar en las obras mismas. Un aspecto interesante puede ser comparar la teoría teatral de la época, algunos de cuyos títulos he

---

[24] Coincido con el planteamiento de *Les Avant-Gardes Littéraires au XXᵉ Siècle* , que forma parte de la *Histoire Comparée des Littératures de Langues Européenes* , de 1984; o, más recientemente, con Jorge Dubatti: "Hacia una periodización del teatro occidental desde la perspectiva del teatro comparado" (*La Escalera* 2000: 229-244).

mencionado en la exposición anterior, con los textos dramáticos. Por otra parte, pienso que no conviene desmerecer obras teatrales de las vanguardias por no haber sido llevadas a escena en su tiempo, pues todos sabemos las dificultades que entraña la materialización del teatro, problema que no es ajeno a los numerosos dramaturgos actuales que no pueden estrenar sus obras y ni siquiera publicarlas, por lo que tienen que contentarse con darlas a leer a otros amigos o a aficionados.

Este teatro hispanoamericano de las vanguardias guarda similitud con el que hacen coetáneamente en España Federico García Lorca, Rafael Alberti, Miguel Hernández, Alejandro Casona o Ramón Gómez de la Serna. Es importante recordar también aquí los múltiples contactos entre los escritores de España y América en la época y que figuras notables del teatro español de Vanguardia, como Cipriano Rivas Cherif, tenido como el director más moderno, el narrador y dramaturgo Max Aub o la gran actriz Margarita Xirgu, por mencionar tres nombres bien conocidos entre muchos otros, pasaron a engrosar la vida cultural de Hispanoamérica tras la guerra civil española.

Cada vez es más frecuente leer o escuchar que los rasgos de las vanguardias históricas se repiten en la Posmodernidad. Beatriz Rizk, que acaba de publicar un excelente libro titulado *Posmodernismo y teatro en América Latina: Teorías y prácticas en el umbral del siglo XXI*[25], así lo cree y muchas notas que atribuye al último teatro hispanoamericano –reinterpretación de mitos, base antropológica, discurso metateatral, lenguaje poético, *collage*, importancia de la danza, el *performance*, etc– coinciden con lo que acabo de exponer respecto al teatro de las vanguardias. Por último, deseo subrayar que el estudio del teatro vanguardista hispanoamericano no sirve únicamente para la reconstrucción histórica del pasado, sino que las preguntas y respuestas suscitadas por ese teatro parecen coincidir con las que nos hacemos frente a la escena actual[26]: ¿Es real la autonomía del teatro respecto a otras manifestaciones literarias?, ¿es buena esa autonomía? ¿Cómo puede escapar el teatro al mimetismo, en el que tienen ventaja las reproducciones por medios técnicos como la televisión, el cine e internet? ¿Cuál es el papel del teatro en nuestra sociedad tecnológica? ¿Cómo realizar un teatro intelectual y formalmente

---

[25] 2001: Madrid. Frankfurt: Iberoamericana. Vervuert.

[26] Cfr. Christopher Innes, *Avant Garde Theatre* (1993), "Introduction", pp. 1-5.

refinado sin convertirlo en un *ghetto* minoritario[27]? ¿Cómo conjugar el deseo de cambio o experimentación con la aceptación del público[28]? El teatro de las vanguardias pone en evidencia las mismas tensiones en las que se encuentra el teatro actual: director / dramaturgo, cuaderno de dirección o texto espectacular / texto dramático-literario, Literatura / Teatro, lo visual o la unión de sentidos no auditivos / la palabra. Probablemente la respuesta esté en la contaminación del teatro con otros géneros literarios, para hacer un teatro más libre, inesperado y, tras la autorreflexión, más teatral.

Frank Dauster termina su libro sobre la generación vanguardista del teatro hispanoamericano con estas palabras:

> [...] Estaban obsesionados por la relación entre teatro y fantasía psicoanalítica[29]. Puede que esta concentración se deba a otro curioso factor: con pocas excepciones, ésta es una generación de literatos, en el sentido de que no son inicialmente dramaturgos. Quizás a esto también se debe el hecho de que varios de ellos escriben un diálogo brillante pero en muchos casos dramáticamente excesivo. Son intelectuales, no sólo porque también hacían novelas o poesía, sino porque en el fondo hacían siempre *literatura*. Acaso sea ésta la razón por la cual esta generación prefiere la ambigüedad a la certeza de resolución. Sea como fuere, es otra de las paradójicas cualidades de una generación cuyos mecanismos interiores y verdadera calidad apenas ahora estamos comenzando a comprender cabalmente.

---

[27] Aunque no se refiriese al teatro, ésta es la gran cuestión que se planteaba Ortega y Gasset en su famoso ensayo *La deshumanización del arte* (1925).

[28] Los vanguardistas pretenden un teatro más activo o participativo desde el punto de vista del espectador; usando la famosa analogía sexista de Cortázar para la narrativa actual, un espectador "macho".

[29] El binomio realidad/fantasía ha sido considerado tema del teatro de narradores importantes hispanoamericanos actuales, como la pieza *Orquídeas a la luz de la luna*, de Carlos Fuentes, o las obras dramáticas de Mario Vargas Llosa: *La señorita de Tacna*, *Kathie y el hipopótamo*, *La chunga*...

BIBLIOGRAFÍA

1. TEORÍA DEL TEATRO / DICCIONARIOS

BANHAM, Martin (ed.) (1988): *The Cambridge Guide to World Theatre*. Cambridge, New York, New Rochelle, Melbourne, Sydney: Cambridge University Press.

BOBES NAVES, María del Carmen (1991): *Semiología de la obra dramática*. Madrid: Taurus.

— (ed.) (1997): *Teoría del teatro*. Madrid: Arco Libros.

CORVIN, Michel (1991): *Dictionnaire Encyclopédique du Théâtre*. Paris: Bordas.

DÍEZ BORQUE, José María; GARCÍA LORENZO, Luciano (eds.) (1975): *Semiología del teatro*. Barcelona: Planeta.

FISCHER-LICHTE, Erika (1999) [1ª ed. en al. 1983]: *Semiótica del teatro*. Madrid: Arco Libros.

PAVIS, Patrice (2003): "¿De dónde viene la puesta en escena y hacia dónde va?". En: *Teatro-Antzerki*, Revista de la Escuela Navarra de Teatro, Número 20, Junio, pp. 11-21.

— (1998): *Diccionario del teatro*. Barcelona, Buenos Aires, México: Paidós.

— (1994): *El teatro y su recepción. Semiología, cruce de culturas y postmodernismo*. Selección y traducción Desiderio Navarro. La Habana: UNEAC. Casa de las Américas, Embajada de Francia en Cuba.

— (1985): *Voix et images de la scène. Vers une sémiologie de la réception*, (Nouvelle édition revue et augmentée), Villeneuve d' Ascq, Presses Universitaires de Lille.

SITO ALBA, Manuel (1987): *Análisis de la Semiótica Teatral*. Madrid: UNED.

TALENS, Jenaro; ROMERA CASTILLO, José; TORDERA, Antonio y HERNÁNDEZ ESTEVE, Vicente (eds.) (1978): *Elementos para una semiótica del texto artístico (Poesía, narrativa, teatro, cine)*. Madrid: Cátedra.

UBERSFELD, Anne (³1998): *Semiótica teatral*. Traducción y adaptación de Francisco Torres Monreal. Madrid, Murcia: Cátedra, Universidad de Murcia.

2. HISTORIA DEL TEATRO / VANGUARDIA INTERNACIONAL

ARIAS DE COSSÍO, Ana María (1991): *Dos siglos de escenografía en Madrid*. Prólogo de Jesús Hernández Perera. Madrid: Mondadori.

LES *Avant-Gardes Littéraires au XXe Siècle*, Publié par le Centre d'Étude des Avant-Gardes Littéraires de L'Université de Bruxelles sous la direction de Jean Weisgerber, 2 vols. Budapest: Akadémiai Kiadó, 1984 (vols. IV y V de la

Histoire Comparée des Littératures de Langues Européennes sous les Auspices de L'Association Internationale de Littérature Comparée).

BALLESTEROS GONZÁLEZ, Antonio; VILVANDRE DE SOUSA, Cécile (coord.) (2000): *La estética de la transgresión: Revisiones críticas del teatro de Vanguardia.* Cuenca: Ediciones de la Universidad de Castilla-La Mancha.

BONET, Juan Manuel (1999): *Diccionario de las Vanguardias en España (1907-1936).* Proyecto editorial de Guillermo de Osma. Madrid: Alianza.

DUBATTI, Jorge (2000): "Hacia una periodización del teatro occidental desde la perspectiva del teatro comparado". En: *La Escalera,* Anuario de la E.S.T., Universidad Nacional del Centro de la Provincia de Buenos Aires, N° 10, pp. 229-244.

GARCÍA MARTÍNEZ, Manuel: "Sobre la voz y el gesto en el teatro contemporáneo" y "Sobre los textos dramáticos contemporáneos". En: *Teatro-Antzerki,* Revista de la Escuela Navarra de Teatro, Número 12, Junio 1999, pp. 13-16 y Número 14, Junio 2000, pp. 24-29.

HUBERT, Marie-Claude (1998): *Les grandes théories du théâtre,* Paris, Armand Colin.

INNES, Christopher (1992): *El teatro sagrado. El ritual y la vanguardia,* México: F.C.E. (1ª ed. *Holy Theatre,* Cambridge University Press, 1981); ed. revisada y actualizada (1993) *Avant Garde Theatre. 1892-1992,* London and New York: Routledge.

LÓPEZ, María Luisa (1972): "El teatro expresionista y su repercusión en España". En: *Letras de Deusto,* Universidad de Deusto, Núm. 3, Enero-Junio, pp. 47-98.

MUÑOZ-ALONSO López, Agustín (ed.) (2003): *Teatro español de Vanguardia.* Madrid: Castalia (Clásicos Castalia 274).

OLIVA, César (1993): "El teatro de la generación del 27". En: *Cuadernos Hispano-americanos,* n° 514-515, Abril-mayo, dedicado a la "Generación del 27", pp. 93-101.

OLIVA, César; TORRES MONREAL, Francisco (1990): *Historia básica del arte escénico,* Madrid, Cátedra.

ORTEGA Y GASSET, José (2002): *La deshumanización del arte y otros ensayos de estética,* Madrid: Revista de Occidente en Alianza Editorial, (Obras de José Ortega y Gasset 10).

PACO, Mariano de (1998): "El Teatro de Vanguardia". En: Javier Pérez Bazo (ed.): *La Vanguardia en España,* Toulouse: C.R.I.C. & OPHRYS, pp. 291-304.

PERAL VEGA, Emilio Javier (2001): *Formas del teatro breve español en el siglo xx (1892-1939),* Madrid: Fundación Universitaria Española.

RUBIO JIMÉNEZ, Jesús (1993): *El teatro poético en España. Del Modernismo a las Van-guardias.* Murcia: Cuadernos de Teatro. Universidad de Murcia.

SÁNCHEZ, José A. (ed.) (1999): *La escena moderna. Manifiestos y textos sobre teatro de la época de las vanguardias.* Madrid: Akal.

— (1999): "Utopías del relato escénico: una visión histórica". En Laura Borrás Castanyer (edición, prólogo y notas): *Utopías del relato escénico*, Madrid: Fundación Autor, pp. 27-44.

SERRANO, Virtudes; PACO, Mariano de (1999): "García Lorca y el teatro". En: *Tres poetas, tres amigos. Estudios sobre Vicente Aleixandre, Federico García Lorca y Dámaso Alonso*. Edición de Francisco Javier Díez de Revenga y Mariano de Paco. Murcia: CajaMurcia. Obra cultural, pp. 225-238.

SZONDI, Peter (1994) (1ª ed. en alemán, 1956; trad. al francés por Patrice Pavis, L'Age d'Homme, 1983): *Teoría del drama moderno*, Traducción de Javier Orduña, Barcelona: Destino.

TORRE, Guillermo de (³1974): *Historia de las literaturas de vanguardia*, 3 vols., Madrid: Guadarrama.

Vanguardia teatral, Separata del nº 225 de *Primer acto*, Debates celebrados en el Teatro San Martín de Buenos Aires y en el Círculo de Bellas Artes de Madrid, Septiembre 1988.

LA *Vanguardia y los títeres* (Ed. francesa 1988, ed. española 1991), nº 1 de *Puck. El títere y las otras artes*. Éditions Institut International de la Marionette, Centro de Documentación de Títeres de Bilbao.

WENTZLAFF-EGGEBERT, Harald (1999): *Las vanguardias literarias en España. Bibliografía y antología crítica*, Frankfurt am Main, Madrid: Vervuert, Iberoamericana.

3. VANGUARDIA LITERARIA HISPANOAMERICANA (GENERAL)

BARRERA, Trinidad (ed.) (1999): *Revisión de las Vanguardias*. Actas del Seminario celebrado del 29 al 31 de octubre de 1997. Roma: Bulzoni Editore.

FORSTER, Merlin H.; JACKSON, K. David; WENTZLAFF-EGGEBERT, Harald (eds.) (1998 y ss.): *Bibliografía y Antología Crítica de las Vanguardias Literarias en el Mundo Ibérico*. Varios vols. Frankfurt am Main, Madrid: Vervuert, Iberoamericana.

MENDONÇA TELES, Gilberto / MÜLLER-BERGH, Klaus (2000): *Vanguardia latinoamericana. Historia, crítica y documentos*. Varios vols. Frankfurt am Main, Madrid: Vervuert, Iberoamericana.

REVERTE BERNAL, Concepción (1998): *Fuentes europeas-Vanguardia hispanoamericana*. Madrid: Verbum.

SÁINZ de Medrano, Luis (ed.) (1993): *Las vanguardias tardías en la poesía hispanoamericana*. Roma: Bulzoni Editore.

SCHNEIDER, Luis Mario (1978): *México y el surrealismo (1925-1950)*. México: Arte y Libros.

SCHWARTZ, Jorge (1991): *Las vanguardias latinoamericanas. Textos programáticos y críticos*. Madrid: Cátedra.

UNRUH, Vicky (1994): *Latin American Vanguards*. Berkeley, Los Ángeles, London: University of California Press.

VIDELA DE RIVERO, Gloria (²1994): *Direcciones del vanguardismo hispanoamericano. Estudios sobre poesía de vanguardia en la década del veinte. Documentos.* Pittsburgh: Instituto Internacional de Literatura Iberoamericana.

WENTZLAFF-EGGEBERT, Harald (ed.) (1999): *Naciendo el hombre nuevo... Fundir literatura, artes y vida como práctica de las vanguardias en el Mundo Ibérico.* Frankfurt am Main, Madrid: Vervuert, Iberoamericana.

— (1991): *La vanguardia europea en el contexto latinoamericano.* Frankfurt am Main: Vervuert.

4. REPERTORIOS BIBLIOGRÁFICOS E HISTORIAS DEL TEATRO HISPANOAMERICANO / SOBRE LAS VANGUARDIAS

DAUSTER, Frank (²1973): *Historia del teatro hispanoamericano: siglos XIX y XX.* México: De Andrea.

— (1993): *Perfil generacional del teatro hispanoamericano (1894-1924).* Ottawa, Ontario: Girol Books.

Escenarios de dos mundos. Inventario teatral de Iberoamérica, 4 vols., Madrid: Centro de Documentación Teatral. Ministerio de Cultura, 1988.

GÁLVEZ, Marina (1988): *El teatro hispanoamericano.* Madrid: Taurus.

LYDAY, León F.; WOODYARD, George W. (1976): *A Bibliography of Latin American Theatre Criticism, 1940-1974.* Austin: University of Texas Press.

NEGLIA, Erminio G. (1985): *El hecho teatral en Hispanoamérica.* Roma: Bulzoni.

NEGLIA, Erminio; ORDAZ, Luis (1979): *Repertorio selecto del teatro hispanoamericano contemporáneo.* Center for Latin American Studies, Arizona State University.

OBREGÓN, Osvaldo (2000): *Teatro latinoamericano. Un caleidoscopio cultural (1930-1990).* Préface Daniel Meyran. CRILAUP, Presses Universitaires de Perpignan.

REVERTE BERNAL, Concepción (2002): "Planteamientos para un estudio del teatro de las vanguardias en Hispanoamérica" [primera versión del capítulo]. En: *EscritoS en arte, estética y cultura.* III Etapa, N° 15. Caracas, enero-junio, pp. 85-106.

RIZK, Beatriz (2001): *Posmodernismo y teatro en América Latina: Teorías y prácticas en el umbral del siglo XXI.* Madrid, Frankfurt am Main: Iberoamericana, Vervuert.

ROJO, Grínor (1972): *Los orígenes del teatro hispanoamericano contemporáneo.* Santiago de Chile: Ediciones Universitarias de Valparaíso.

SOLÓRZANO, Carlos (1964): *El teatro latinoamericano en el siglo XX.* México D.F.: Pormaca.

QUACKENBUSH, L. Howard (ed.) (1987): *Teatro del Absurdo Hispanoamericano. Antología Anotada.* México D.F.: Editorial Patria.

Toro, Fernando de; Roster, Peter (1985): *Bibliografía del teatro hispanoamericano contemporáneo (1900-1980)*. 2 vols. Frankfurt am Main: Vervuert.

Versényi, Adam (1993): *Theatre in Latin America. Religion, politics and culture from Cortés to the 1980s*. Cambridge: Cambridge University Press [trad. al español Cambridge University Press, 1996].

Zalacaín, Daniel (1985): *Teatro absurdista hispanoamericano*. Valencia: Albatros ediciones. Hispanófila.

5. Otros

Andrés-Suárez, Irene (ed.) (1998): *Mestizaje y disolución de géneros en la literatura hispánica contemporánea*. Madrid: Verbum.

Bengoechea Bartolomé, Mercedes; Sola Buil, Ricardo Jesús (eds.) (1997): *Intertextuality / Intertextualidad*. Universidad de Alcalá, Servicio de Publicaciones.

Reverte, Concepción; Oliva, César (eds.) (1996): *I Congreso Iberoamericano de Teatro. Pedagogía Teatral: Conceptos y Métodos*. Cádiz: Festival Iberoamericano de Teatro, Universidad de Cádiz.

II

EL "TEATRO DE LA CRUELDAD" DE VICENTE HUIDOBRO (ARTAUD Y JARRY)

Antonin Artaud, en *El teatro y su doble* (1938), defiende un teatro que conmocione al espectador, no dejándolo indiferente, trasladando al medio escénico algunos postulados de Dadá y del Surrealismo. Tanto en su caso, como en el de Vicente Huidobro y de Georges Bataille, tras la vinculación al grupo liderado por André Breton, que en 1924 pronunciará su primer manifiesto, expresaron discrepancias que los llevarían a excluirse del mismo, sin que por ello sean menos evidentes los aspectos comunes[1].

Por otra parte, como se sabe, la admiración de los surrealistas por Alfred Jarry era notoria y Artaud le rindió tributo dando su nombre al teatro donde materializó a partir de 1927 sus propuestas. Al margen de otras características, al hablar del teatro de Huidobro me propongo resaltar su relación con esas dos grandes figuras de la escena contemporánea, como un modo de profundizar en sus obras dramáticas, demostrando,

---

[1] Denis Hollier dedicó hace treinta años un artículo a la relación entre Bataille y Artaud, que extiendo yo a Huidobro. Henri Béhar, al tratar muy brevemente de *Gilles de Raiz* en su libro *Sobre teatro Dadá y Surrealista*, añade que, por las mismas fechas, Roger Vitrac –asociado como se sabe a Artaud– dedica un capítulo de su *Connaissance de la Mort* al mariscal francés. Los párrafos con que inicia Béhar las páginas dedicadas a Huidobro, confirman mi análisis comparatista:

"Vicente Huidobro hace mentir el dicho popular: es uno de los pocos poetas que además son profetas en su tierra. Prácticamente desconocido en Francia, donde, no obstante, publicó varios libros de poesía, a partir de 1917 hasta después de 1932, logró que se le reconociera casi oficialmente en Chile, su patria.

Algún día habrá que ocuparse de todos esos escritores que, por los años 1920, contribuyeron a difundir las teorías audazmente revolucionarias de la poesía francesa en el mundo hispánico, a la vez que creaban sus propios movimientos, con una originalidad fiel a las particularidades de su situación local".

Se trata del tipo de enfoque crítico que siguió Langowski para la narrativa hispanoamericana.

una vez más, que Huidobro se encuentra a la Vanguardia de todo lo que sucede en su época y que es precisamente esa modernidad la que ha generado en ocasiones la incomprensión de los que tardarían aún muchos años en asimilar la evolución artística.

Las *Obras completas* de Huidobro incluyen dos textos teatrales: *Gilles de Raiz* y *En la luna*. Se tiene noticia de que escribió un tercero en su madurez, para celebrar la liberación de París, al final de la segunda guerra mundial, en 1945, y al que titularía simbólicamente *Deucalión*; colofón, sin duda, de la evolución personal e interpretación cósmica que suponen las obras anteriores[2].

1. GILLES DE RAIZ

La primera edición de *Gilles de Raiz* (1932), escrita en francés[3], lleva impresas antes de la portada las fechas 1925-1926, que el lector supone datan la redacción de la pieza. La traducción al español que habitualmente manejamos se debe al poeta chileno Teófilo Cid[4], uno de los miembros del grupo surrealista de la revista *Mandrágora*, que tuvo a Huidobro como guía literario[5]. En adelante, cito por ambas ediciones.

Evocando la biografía de Huidobro hacia 1925-1926, recordemos que es en esos años cuando se producen varios hechos que transforman su vida. Poco antes había roto con sus amigos vanguardistas de París que darán origen al Surrealismo, al parecer por no querer aceptar él, desde el punto de vista teórico, la supremacía del inconsciente sobre la razón

---

[2] Por ejemplo, René de Costa (1984: 160) cita esta obra señalando como su informante al actor Henri Crémieux, de la Comedia Francesa. En el mismo sitio menciona una pieza juvenil, titulada *Cuando el amor se vaya*, representada en el Palace Theater, de Santiago, en mayo de 1913.

[3] *Gilles de Raiz. Pièce en quatre actes et un épilogue*, Avec un portrait de l'auteur par Pablo Picasso et deux dessins de Joseph Sima, Paris, Éditions Totem, Librairie José Corti, 1932.

[4] Traductor al español en sus *Obras completas*. Cito por V. Huidobro: *Gilles de Raiz. En la luna (Teatro completo)*, Santiago de Chile, Editorial Universitaria, 1995, con una "Nota sobre *Gilles de Raiz*" por Federico Schopf. Esta edición lleva como "Addenda" una Carta de Edgar Varèse al actor John Barrymore, del 13 de mayo de 1927, en la que el primero dice haber leído el drama, lo cual corrobora la primera fecha de escritura.

[5] Teodosio Fernández evoca esta relación en Valcárcel (ed.) 1995: 105-113.

y, desde el punto de vista personal, el liderazgo de André Breton[6]. En 1925 viaja a Chile con el propósito de llevar a cabo en su patria una misión política, en la que fracasa estrepitosamente como candidato de la Federación de Estudiantes a las elecciones para la Presidencia de la República[7]. Simultáneamente, se enamora de forma apasionada de la jovencísima Ximena Amunátegui, relación que declarará públicamente, provocando el escándalo de la sociedad chilena, por la que abandonará a su primera esposa y a sus hijos, tras lo cual marcha a vivir primero a Nueva York y luego nuevamente a París[8]. Desde el punto de vista de su teoría poética, el Creacionismo, es en este período de cambios cuando se empieza a mostrar desengañado de sus planteamientos iniciales, lo que desembocará poco después en esa obra maestra y lápida del Creacionismo, verdadero "canto de cisne" del movimiento, que es *Altazor* (1931). Si hemos de establecer una analogía entre *Gilles de Raiz* y alguna otra obra poética suya, el texto que guarda mayor parecido lingüístico y cuyo tono vital es similar es *Temblor de cielo*, cuyo título es catacresis de lo que es un terremoto o temblor de tierra, metáfora de la crisis vital del poeta[9]. Otras obras de Huidobro que guardan parecido con la pieza, por distintos motivos, son las novelas vanguardistas *Cagliostro* y *Mío Cid Campeador*.

La historia trágica del Mariscal de Francia Gil de Retz o Rais[10], compañero de armas de Juana de Arco, quien, habiendo sido un héroe nacional, se arruina económicamente y va envileciéndose progresivamente, hasta llegar a cometer crímenes que incluyen actos de pederastia y asesinatos

---

[6] Actualmente esta idea se repite como un lugar común de la crítica, pero hace años se especulaba al respecto. Véase, por ejemplo, Goiç: "El Surrealismo y la literatura iberoamericana" (1977) o mi comunicación con Navascués en el Congreso Internacional *Dadá-Surrealismo* (1985).

[7] Costa: 1984, cap. VI: "Política (y teatro)"; "Carta de Vladimir García Huidobro Amunátegui al Director de *El Mercurio*" (1936), recogida en V. Huidobro: *Textos inéditos y dispersos*: 119.

[8] Esta etapa la narra muy bien Goiç; véanse las páginas recogidas en Costa (ed.) 1975.

[9] Véase la "Introducción" de Costa a su edición de *Altazor. Temblor de cielo*.

[10] A Federico Schopf, en la edición que manejo, le sorprende la grafía del apellido que usa Huidobro, la cual podría tratarse de una solución de compromiso entre Retz o Rais, formas recogidas en la *Enciclopedia Universal Ilustrada Europeo-Americana*, Madrid: Espasa-Calpe, 1923, t. L: 1458. J. F. Michaud, en *Biographie Universelle Ancienne et Moderne*, Paris, 1854, lo llama "Gilles de Laval, seigneur de Retz".

de niños y adolescentes, y que sólo se detiene al ser apresado, lo que
provoca su confesión pública y arrepentimiento antes de su ajusticia-
miento[11]; había atraído la atención de los intelectuales de Francia por esos
años, de tal manera que Huidobro no hace sino dar su interpretación de
un personaje popular, que poseía rasgos que lo hacían particularmente
interesante para los artistas relacionados con el Surrealismo, derivado,
como todos sabemos, de las ideas de Freud y de otros psicoanalistas de
la época.

En la región en la que Gilles de Rais había cometido sus crímenes,
Bretaña, la figura histórica se identificaba con el personaje del cuento
de Charles Perrault, Barba Azul, y la motivación sexual de sus des-
manes y el pacto con el diablo que reconoció en su proceso ante los
jueces permitían asimilarlo también a otros dos mitos: Don Juan y
el hombre que vende su alma al diablo, el más famoso desde la perspectiva literaria, el Doctor Fausto, de Goethe. El Mariscal de Francia,
visto simultáneamente como Barba Azul y Fausto, monstruo sagrado
y bestia acorralada, está en el drama de Huidobro y en la prosa de
Georges Bataille, probablemente por el empleo de las mismas lecturas[12]
y por haberlo podido comentar ambos cuando este último ejercía de
bibliotecario en la Biblioteca Nacional de París[13]. La interpretación que
hacen Huidobro y Bataille del personaje histórico, difiere, sin embargo,
en que Bataille califica al Mariscal de "Fausto infantil", atribuyendo
su violencia a la organización feudal de su tiempo; para el chileno, en
cambio, quien claramente se identificaba con el aristócrata francés, no
existe tal comportamiento inmaduro, cargando la responsabilidad de
los actos del personaje a un *fatum* trágico, que no impide el ejercicio de

---

[11] En la Enciclopedia anterior y otros lugares se remite como estudio histórico
principal a Bossart: *Gilles de Rais, maréchal de France, dit Barbe-Bleu*. Paris, 1886.

[12] Recordemos que Bataille hace la introducción y comentarios a la publicación de
los juicios; Bataille: "La tragédie de Gilles de Rais", en *Le Procès de Gilles de Rais*, Paris:
Jean-Jacques Pauvert, 1965. He utilizado la traducción de Carlos Manzano, *La tragedia
de Gilles de Rais*, Prólogo de Mario Vargas Llosa, Barcelona: Tusquets, ²1983. Bataille
remite asimismo al Abad Bossard (sic), como quien "nos dejó la obra más seria sobre
este criminal" (38) y quien establece su identificación con Barba Azul.

[13] Trabajó como bibliotecario entre 1922-1942. Destaca este dato el *Dictionnaire Universel des Littératures*, Publié sous la direction de Béatrice Didier. Como se sabe, la fama
de Bataille es tardía y escribió inicialmente bajo el seudónimo de Lord Auch.

su libertad individual[14]. El héroe de la tragedia de Huidobro es, como conviene al género,[15] un ser humano fuera de lo común, desmedido; lo cual obedece asimismo a la idiosincrasia del chileno[16] y a su gusto por figuras de gran relieve histórico, como las que suscitan sus "hazañas" novelescas, en las que reconoce "un pequeño compromiso entre la historia y la leyenda"[17]. El drama se estructura en cuatro Actos y un Epílogo, que él califica de "Desprendido y Desprendible", donde rompe la ilusión escénica en una especie de fórum sobre el protagonista en el que se incluye a sí mismo como personaje, y que permite conocer las principales fuentes literarias del texto: Joris Karl Huysmans –*Là-bas* o *Allá lejos*, novela satánica–, George Bernard Shaw –*Santa Juana*, texto desmitificador–, Anatole France –*Vida de Juana de Arco*, otra visión iconoclasta–, Fernand Fleuret, alias "el doctor Hernández" –*El proceso inquisitorial de Gilles de Rais (Barba Azul), con un ensayo de rehabilitación–*, el Marqués de Sade y la Marquesa de Brinvilliers –esta última célebre envenenadora, que ejerce singular atracción sobre el autor–[18]. Este Epílogo, de carácter metadramático así como otros rasgos de la tragedia[19],

---

[14] El término y otros derivados de él se repiten a lo largo de la obra; no obstante, Huidobro no niega la libertad individual del protagonista, pese a la predestinación, ya que sólo si hay libertad se puede acusar a alguien de sus actos, aunque sean difíciles de comprender.

[15] Las pautas del drama de Huidobro coinciden con las de la tragedia grecolatina, actualizada en el teatro clásico francés y nuevamente transformada en el teatro contemporáneo.

[16] Tanto sus coetáneos como la crítica posterior se han referido a su "egolatría". Consciente de su valía personal y orgulloso de ella, Huidobro se identifica con hombres y mujeres sobresalientes.

[17] "Hazaña" es el nombre que da a sus novelas experimentales; véase, por ejemplo, su "Nota de la primera edición", *Mio Cid Campeador*, Madrid, 1929, o "Carta a Mr. Douglas Fairbanks", París, 1928. La cita procede de la carta, incluida en sus *Obras completas*.

[18] En *Vientos contrarios* (1926) le dedica varias páginas, haciendo una elogiosa defensa de ella; véase sus *Obras completas*. No he llegado a leer el artículo de Esteban Vergara: "El epílogo de *Gilles de Rais*" (en *Divitia*, Universidad de Bío Bío, 1, 1990, pp. 60-64). M. Ángeles Pérez López, en "Dramaturgia y modernidad en *Gilles de Raiz* de Vicente Huidobro" (2001), centra su análisis en las relaciones entre *Santa Juana* de Shaw y *Gilles de Raiz*.

[19] Nordenflycht (1993) señala como recursos metadramáticos en la obra: a) la ceremonia o rito (pacto satánico, orgía, proceso final), b) actuación dentro de la actuación (comportamiento de Juana de Arco), c) referencias literarias y de la vida real, principalmente en el Epílogo, d) la autorreferencia (Gilles / Barba Azul, el Epílogo como nuevo proceso).

resulta novedoso frente a una escena que todavía tiene que esforzarse en modificar los hábitos del teatro realista y naturalista. El espacio que requiere la obra es convencional, con decorados que sirven de fondo a la acción, puertas por donde salen y entran los actores, un telón que se cierra al concluir cada Acto.

En conjunto, la obra puede ser considerada una tragedia simbolista, tipo de teatro que representa Artaud en su teatro Alfred Jarry, con unas diferencias que proceden del modo de entender los textos y la puesta en escena[20]. Los dos dibujos de Joseph Sima que ilustran la primera edición de *Gilles de Raiz*[21] hacen pensar en esta tendencia estética, así como la importancia de elementos simbólicos en la obra, el análisis psicológico del protagonista, la ambientación escénica o el uso del lenguaje. La lectura del texto hace imaginar una puesta en escena operística, donde el conjunto de los personajes secundarios gira en torno al gran amor de la pareja protagonista, a modo de coro; lo cual recuerda la pasión sexual de la pareja que se enfrenta al concepto de Dios y al mundo de *Temblor de cielo* de Huidobro, la que a su vez remite a *Tristán e Isolda* de Wagner[22]. Aproximadamente dos años después de la llegada de Huidobro a París, en 1918, había estrenado Béla Bartók su ópera *El castillo de Barba Azul*, con libreto de Béla Balázs, otra de las recreaciones artísticas del mito[23].

Volviendo a Sima (1891-1971), este pintor checo afincado en Francia desde 1921, ilustra primeras ediciones en Praga de textos de Jules Romains, Guillaume Apollinaire o André Breton (por ejemplo, de *Nadja*, en 1935) y es autor del retrato de Huidobro, de 1931, que aparece en *Sátiro o El poder de las palabras*. Asociado su nombre al del poeta francés René

---

[20]   A Béhar no le gusta la obra y comenta: "La obra de Huidobro no ofrece ninguna innovación dramática" (1971: 208). "Es justo lamentar que Huidobro, disponiendo de un tema dramático tan hermoso, lo haya endulzado con imágenes y una escenificación simbolistas, que no haya sido capaz de entregarnos el mito puro, esa necesidad del Mal sin la cual no existiría el Bien, o no lo conoceríamos" (209). Béhar olvida que es un poeta metido a dramaturgo, no un hombre de teatro, pese a los aciertos que, a mi juicio, sí tiene.

[21]   Véase su reproducción al final del capítulo.

[22]   Véase la edición de René de Costa.

[23]   Esta ópera es una de las partituras más innovadoras del momento, desde el punto de vista musical. El cuento de Barba Azul es recurrente en dramaturgos europeos e hispanoamericanos de la época, incluyendo los que se dedican al teatro de títeres. Véase, al respecto, el monográfico de *Puck* sobre *La Vanguardia y los títeres*, en la bibliografía del capítulo introductorio.

Daumal, teósofo, juntos fundan el grupo *Le Grand Jeu* en París, en 1927; asimismo, se le suele vincular al Surrealismo[24].

La importancia que concede Huidobro al asunto amoroso en *Gilles de Raiz* se destaca desde la lista de *dramatis personae*, donde Gilles y su correspondiente femenino, Gila, ocupan los primeros puestos. Aunque Gila es el nombre con que se redenomina o rebautiza a la joven para resaltar su estrecha unión al noble francés, quizás no sea descabellado apuntar que modificando una letra coincide con el de Gala, la esposa de Paul Éluard y posteriormente de Salvador Dalí, que ejerció una poderosa atracción en los miembros de la comunidad surrealista.

La primera edición de la tragedia va encabezada por las siguientes frases: "littérature/littérature/archilittérature" ("Literatura, Literatura, Archiliteratura"); "FEMME VOILÁ TON FILS" ("Mujer, he ahí a tu hijo"), palabras estas últimas que dirige Cristo a su Madre y al apóstol Juan en el calvario, que representan el binomio hombre-mujer, fundamento de un nuevo orden espiritual tras la Redención, que repara el pecado original de Adán y Eva[25]. La crítica ha señalado en alguna ocasión la importancia de la Virgen María, símbolo de la mujer por antonomasia, para el poeta chileno; no en vano se interpone en su viaje en paracaídas al principio de *Altazor*.

En la estructuración de la intriga, Huidobro no empieza el drama buceando en la infancia y adolescencia del protagonista, como justificación de su conducta posterior, sino que el chileno comienza la pieza *in medias res*, cuando Gilles se encuentra ya recorriendo el camino de la perdición económica y moral. Se suscita expectación antes de que el Mariscal entre en escena, pues previamente hablan otros personajes de él, en medio de un paisaje romántico: *"Un poco antes de medianoche"*, *"en una costa cerca del castillo de Machecoul"*, viéndose cómo *"Algunos árboles anuncian el bosque que comienza más lejos"* y *"Colinas al fondo"*. Es en este primer Acto en el que Gilles vende su alma al diablo pidiéndole:

---

[24] Su inclusión dentro del movimiento surrealista es irregular, aunque cuando se habla de él se señala la relación de su pintura con el Surrealismo. Por ejemplo, no lo he encontrado en los índices de los libros de André Breton: *Le Surréalisme et la peinture*, Roland Penrose: *80 años de Surrealismo. 1900-1981*, o de José Pierre: *L'univers surréaliste*.

[25] No olvidemos la sólida formación religiosa de Huidobro con los jesuitas. La asimilación de Gilles, Gila a Adán, Eva, es clara; véase el inicio del Acto II. Las desviaciones sexuales del Mariscal no merecen tanta atención en el texto.

Je veux des richesses, la gloire, la splendeur, mais surtout je veux l'amour
dans une éternelle jeunesse. Je veux l'amour intrépide et tremblant comme
au premier jour de l'amour. Que ces jours qui durent si peu se répètent
toujours avec la même anxiété des commencements. Je veux le plaisir, le
vrai plaisir, le plaisir absolu. (45)

Quiero riquezas, gloria, esplendor ; pero, más que nada, quiero el amor
en una eterna juventud. Quiero el amor intrépido y tembloroso como en el
primer día del amor. Que esos días que duran tan poco se repitan siempre,
con la misma ansiedad de los comienzos. Quiero el placer, el verdadero
placer, el placer absoluto. (19)

Orden de prioridad de los deseos que convierte su locura en una historia
de amor. Los estudios históricos atribuían, en cambio, la depravación
del noble francés a la falta de afecto en su infancia y adolescencia, al
nocivo ejemplo de su abuelo –que fue su tutor–, a la violencia de las
batallas en las que intervino y a su tendencia al exhibicionismo, que
haría que dilapidase su fortuna; el móvil del pacto con Lucifer sería
en primer lugar económico, para volver a adquirir bienes acordes a su
posición social[26].

En la pieza teatral de Huidobro se dice una y otra vez que los hechos
se producen como en un sueño y se habla del comportamiento delirante
o como en trance de los personajes, llegándose a mencionar incluso la
utilización de "plantes odoriférantes", "plantas odoríferas" (181 y 82),
para invocar al diablo; lo que también hace evocar el viaje que haría
Artaud a México, en busca del peyote.

Después del súbito enamoramiento de Gilles y Gila, el Acto I concluirá
con un largo beso de la pareja, mientras se ve cómo se alejan del resto de
personajes. Como posible homenaje a *Macbeth*, de Shakespeare, la entrada
de Lucifer va precedida por la de una bruja, que hace de intermediaria[27].
Ya en este Acto se menciona por primera vez la identificación de Gilles
con Barba Azul y se alude a la llave que guarda sus secretos.

---

[26] Véase la excelente "Nota" de Schopf.

[27] En la literatura satánica las brujas suelen desempeñar esta función; sin embargo,
creo que Huidobro tiene presente el clásico inglés, como veremos en relación a Jarry,
quien parodia esta obra en su *Ubu Rey*. En este influjo coincide con el español Augusto
Martínez Olmedilla, quien en *Las brujas de Macbeth* ("La novela semanal", Madrid, Publicaciones Prensa Gráfica, año V, núm. 215, 22 de agosto de 1925) convierte las tres brujas
del inglés en una gitana y actualiza el drama de ambición de la pareja original.

El Acto II, que lleva como título "El misterio", transcurre en "*Una sala del castillo de Machecoul*". Empieza con un párrafo en que Gilles habla de Gila en términos totalizadores, como Hombre unido a la Mujer, de modo genérico, Adán y Eva. Es aquí donde interviene Juana de Arco, que se dice escapada de la hoguera al ser sustituida por otra joven, reemplazo que, según le aconseja Gilles, deberá mantener oculto para no echar por tierra el mito. Esta postura desmitificadora de Huidobro respecto a la santa (una campesina encumbrada para favorecer la lucha contra los ingleses), choca en su escepticismo con la sacralización de la relación Hombre-Mujer y con otros aspectos de la pieza, y constituye otro recurso metadramático (un personaje finge ser otro diferente de sí mismo). Tal como subraya Mónica Zapata[28], el Acto recoge el develamiento del misterio que encierra la torre, cuando Gila emplea la llave y descubre a las otras mujeres de Gilles / Barba Azul; pasaje del cuento de Perrault del que se elimina lo sanguinario, pues Gila no ve los cuerpos de las esposas asesinadas, sólo oye sus gemidos por haber sido abandonadas:

> GILA
> (*S'approchant de Gilles et lui caressant la tête amoureusement*)
> Seigneur, j'ai trouvé cette clef...
> GILLES
> (*Regardant la clef*)
> La clef de la tour principale! (*Tristement*) Pourquoi as-tu trouvé cette clef?
> GILA
> Je n'en sais rien... Ce fut par hasard. On dirait que c'est la clef qui m'a trouvée.
> GILLES
> Et tu es entrée dans la tour, évidemment... Qu'as-tu vu?
> GILA
> Je ne vis rien. J'entendis seulement des gémissements et des voix comme si les murs s'étaient mis à pleurer, comme si des choses écrites sur les parois avaient commencé à parler à haute voix. (109-110)

> GILA. (*Aproximándose a Gilles y acariciándole amorosamente.*) –Señor, encontré esta llave...

---

[28] Véase la bibliografía del capítulo.

GILLES. (*Mirando la llave.*) –¡La llave de la torre principal! (*Tristemente.*)
¿Por qué encontraste esa llave?
GILA. –Nada sé de eso... Fue por azar. Se diría que es la llave la que me
ha encontrado a mí.
GILLES. –Has entrado en la torre, evidentemente... ¿Qué has visto?
GILA. –No vi nada. Sólo escuché gemidos y voces, como si las murallas
se hubiesen puesto a llorar, como si cosas escritas en las paredes hubiesen
comenzado a hablar en alta voz. (50)

El segundo Acto concluye como el primero, con un largo beso de la
pareja protagonista.

El Acto III se desarrolla nuevamente en el interior del castillo de
Machecoul, en "*una gran sala*" y con un decorado, al que volveré a referirme, que representa un altar dedicado al demonio. Lleva como título
"La orgía". La acción se sitúa un año después del Acto anterior, tras
haber desaparecido Gila, extraviada en el bosque. En el diálogo de los
personajes se atribuye a esta pérdida la degradación final de Gilles, que
comete los más grandes horrores fuera de sí mismo, enloquecido por el
dolor, lo que refleja el lenguaje escatológico con que se expresa:

GILLES
(*Entre en délirant.*)
L'amour, la mort, la mort, l'amour, l'amour, la mort, la mort, l'amour...
Jetez sour mois une montagne d'excréments. Jetez sur moi des cataractes de
pus, de jus de cadavres crevant de pustules. Je veux me noyer dans une mer
de sang pourrie, de viscères déchirées, de tripes purulentes... (132)

GILLES. (*Entra, delirando.*) –El amor, la muerte, el amor, la muerte, la
muerte, el amor... Lanzad sobre mí una montaña de excrementos. Lanzad
sobre mí cataratas de pus, de jugos de cadáveres reventados de pústulas.
Quiero ahogarme en un mar de sangre podrida. De vísceras destrozadas,
de tripes purulentas... (60)

El Acto termina con el apresamiento de Gilles y sus secuaces por Jean
Labbé, enviado por los poderes eclesiástico y civil (el Obispo de Nantes
y el Duque de Bretaña).

En el Acto IV "*La escena representa el Tribunal de Justicia de Nantes*",
con Gilles "*de pie ante sus jueces, orgulloso y arrogante*". El jurado culpa
al Mariscal de acusaciones terribles e intervienen personajes que están
tomados, como el conjunto de los hechos, de las actas del proceso real que

lo condenó a morir. Huidobro modifica la historia cuando hace intervenir a su enamorada Gila, vestida de monja, quien declara haberse apartado de Gilles conducida por la Fatalidad, que la hizo extraviarse en el bosque. Gila confirma su amor, renegando de la religión por él, ante el escándalo de los jueces. A su vez, a diferencia de lo que recogen los documentos, en la tragedia de Huidobro el Mariscal no se arrepiente. Huidobro, en boca del protagonista, atribuye su conversión a una falacia histórica y el Acto concluye con la identificación de Gilles de Rais con el diablo:

> MALESTROIT
> Je ne puis croire que j'entends ce que j'entends. Qui êtes-vous, Seigneur Gilles de Raiz, qui êtes-vous ?
> GILLES
> Je suis le diable. Ha! ha! ha! je suis le diable... Je suis le diable... (198)

> MALESTROIT. –No puedo creer que oigo lo que oigo. ¿Quién sois, señor Gilles de Raiz, quien sois?
> GILLES. –Soy el diablo. ¡Ja, ja, ja! Soy el diablo..., soy el diablo... (90)

Como se ha expuesto, el Epílogo supone un intento de esclarecer la verdadera personalidad del protagonista. El propio Gilles dice en él: "Es el Juicio Final". Por su gran interés, recojo la extensa acotación que lo introduce:

> *Personnages de l'épilogue*
> *Gilles, Gila, Jupiteria, Venusia, Mercuria, Martia, Saturnia, Lunia, Urania, le Marquis de Sade, la Marquise de Brinvilliers, Don Juan, Huysmans, Anatole France, Bernard Shaw, le Docteur Hernandez, Moi. (Tous les écrivains tiennent un crayon à la main. Bernard Shaw a un oeil poché).*
> <u>*Cette scène est mi-cinéma, mi théâtre.*</u>
> *Un écran forme le fond. Les images de Gilles de Raiz et de Gila sont projetées sur l'écran et on entend leurs voix.*
> *Gilles de Raiz est debout sur un petit tabouret, appuyé sur son épée, ayant l'attitude d'une statue. Il a une belle barbe bleue. Pendant toute la scène il ne doit pas changer d'attitude. Gila est assise au bord du tabouret, aux pieds de Gilles.*
> *D'un côté, sur la scène-théâtre, se trouvent les sept princesses planétaires, de l'autre côté les cinq écrivains. Ensuite, suivant les indications du texte, entreront en scène le Marquis de Sade, la Brinvilliers et Don Juan. Tous les personnages de la scène-théâtre sont en chair et en os.*

S'il n'est pas possible de faire concorder le dialogue entre les deux personnages projetés et les personnages vivants, il faudra supprimer l'écran et mettre comme fond une grande toile bleue devant laquelle se trouveront Gilles et Gila dans la même attitude décrite pour l'écran. (199, el subrayado es mío)

Personajes del epílogo :
Gilles, Gila, Jupiteria, Venusia, Mercuria, Marsia, Saturnia, Lunia, Urania, el Marqués de Sade, la Marquesa de Brinvilliers, Don Juan, Huysmans, Anatole France, Bernard Shaw, el doctor Hernández, Yo. (Todos los escritores tienen un lápiz en la mano. Bernard Shaw tiene un ojo en tinta.)
<u>*Esta escena es medio cine, medio teatro*</u>*.*
Una pantalla forma el fondo. Las imágenes de Gilles de Raiz y de Gila están proyectadas sobre la pantalla y se escuchan sus voces.
Gilles de Raiz está de pie sobre un pequeño taburete, apoyado en su espada, con la actitud de una estatua. Tiene una hermosa barba azul. Durante toda la escena no debe cambiar de actitud. Gila está sentada al borde del taburete, a los pies de Gilles. A un lado, sobre la escena-teatro, se hallan las siete princesas planetarias, al otro lado los cinco escritores. En seguida, de acuerdo con las indicaciones del texto, entrarán a escena el Marqués de Sade, la Brinvilliers y Don Juan. Todos los personajes de la escena-teatro son de carne y hueso.
Si no es posible hacer concordar el diálogo entre los dos personajes proyectados y los personajes vivos, será preciso suprimir la pantalla y poner como fondo una gran tela azul delante de la que se encontrarán Gilles y Gila, en la misma actitud, descrita para la pantalla. (90-91)

El empleo de imágenes cinematográficas en el teatro, que hoy no sorprende al espectador avezado, suponía otra novedad escénica, apenas ensayada por Erwin Piscator y algún otro dramaturgo coetáneo, como Yvan Goll. En su tratado sobre *El teatro político* (1ª ed., 1929), Piscator explica las funciones del film en el teatro, que en esta tragedia de Huidobro parecen ser principalmente subrayar la importancia del amor de la pareja protagonista[29]. Es fácil evocar el entusiasmo que sintieron Huidobro y otros artistas de la Vanguardia por el cine, que en su caso lo llevó a escribir el guión para una película muda, *Cagliostro*, que ganaría el premio otorgado por la Liga por un Mejor Cine, en

---

[29] En *Salle XIV. Vicente Huidobro y las artes plásticas* hay una Carta de Ivan Goll a Vicente Huidobro, del 27-2-1923, y se mencionan publicaciones suyas como parte de su biblioteca. Desde el punto de vista teórico, tanto Piscator, en la obra citada, como Goll, en "El supradrama" (1919), explicarán la utilidad de los adelantos técnicos para revitalizar la escena.

Nueva York, en 1927, y que acabaría convertido en la novela-film que conocemos. Haciendo un inciso al respecto, pese a los parecidos que puedan establecerse entre *Gilles de Raiz* y *Cagliostro*, en pasajes como, por ejemplo, la irrupción inicial del protagonista en los dos textos en medio de la oscuridad y, sobre todo, su vinculación a las artes oscuras (de lo cual me ocuparé acto seguido), el ritmo de la novela-film difiere notablemente del que posee la tragedia, concebida esta última claramente para el teatro[30].

Como es natural, en las opiniones sobre Gilles de Raiz del Epílogo, interesan en primer término las que pronuncia el personaje "Moi" ("Yo" del autor). Nuevamente insiste aquí en la importancia del amor:

MOI
Le monde est tellement ennuyeux.
GILLES
Il y a trois portes de sortie. L'Amour, la Folie et la Mort. Tu n'as qu'a choisir.
MOI
Je les ai essayées toutes les trois. La Mort en vérité ne me plâit pas, elle est un peu anti-higiénique. La Folie est impossible à atteindre. J'ai fait des efforts en vain toute ma vie, il n'y a pas moyen d'y arriver. Il ne me reste que l'Amour. Il faut aimer, aimer... (222)

YO. –El mundo es así fastidioso.
GILLES. –Hay tres puertas de salida. El Amor, la Locura y la Muerte. No tienes más que elegir.
YO. –He ensayado las tres. La Muerte, en verdad, no me agrada, es un poco antihigiénica. La Locura es imposible de alcanzar. He hecho esfuerzos

---

[30] Véase, por ejemplo, P. Duffey: " 'Un dinamismo abrasador': La velocidad del cine mudo en la literatura iberoamericana de los años veinte y treinta" (en *Revista Iberoamericana*, 2002). En la "Introducción" de Costa a su edición de la novela, éste subraya su relación con películas expresionistas como *El gabinete del doctor Caligari* (1920) y *Nosferatu* (1922) y dice que al transformarse de guión cinematográfico en novela se convirtió "en una parodia de las convenciones del propio arte en que se inspiraba". Cualquiera que lea la novela piensa inmediatamente en lo que fue el cine mudo, por los contrastes luz/oscuridad, blanco/negro, sombras, la descripción de interiores como decorados, alusión al acompañamiento de piano u orquesta, expresividad de los ojos de los personajes, óptica de acuerdo a los movimientos o planos de una cámara antigua, efectos especiales, etc. Este ritmo cinematográfico se señala también como una característica de *Mío Cid Campeador*, pero lo advierto menos en *Gilles de Raiz*.

en vano toda mi vida, no hay medio de llegar a ella. No me queda más que
el Amor. Es preciso amar, amar... (101)

Como hizo al finalizar el Acto IV, en boca del propio Gilles, en este Epílogo "détaché et détachable" ("desprendido y desprendible"), el Yo de
Huidobro sostiene repetidamente, frente al juicio de otros, su convicción
de que Gilles "il était le Diable" (aquí con mayúscula, en otros momentos
con minúscula) , "era el diablo" (206 y 104):

> MOI
> Un gentleman, l'amour, le vice et la mort, les quatre réunis, cela fait le
> diable. (231)

> YO. –Un gentilhombre, el amor, el vicio y la muerte, eso constituye el
> diablo. (105)

Y concluye proclamando abiertamente, como Nietzsche y él mismo en
Altazor y *Temblor de cielo*:

> MOI
> C'est l'enterrement de Dieu. Tous les astres sonnent le glas.
> DON JUAN
> (*Il entre l'épée à la main*)
> Qu'ai-je donc fait ? Qu'ai-je donc fait ? J'ai voulu tuer la femme, je me
> suis trompé et j'ai tué Dieu. (232)

> YO. –Es el entierro de Dios. Todos los astros doblan a muerto.
> DON JUAN. –(*Entra con la espada en la mano.*) –¿Qué he hecho, pues? ¿Qué
> he hecho? Quise matar a la mujer; me he equivocado y maté a Dios. (105)

Las últimas palabras de la obra son:

> GILLES
> Silence! Dieu est mort. Nous attendrons éternellement le Jugement Der-
> nier. (232)

> GILLES. –¡Silencio! Dios ha muerto. Esperemos eternamente el Juicio
> Final. (105)

Tal como plantea Huidobro en su libro autobiográfico *Vientos contrarios* (1926), la figura de "Don Juan", quien ejerce un irresistible poder de atracción sobre todas las mujeres, que "seduce a la Mujer" (en términos absolutos), como se dice también de Gilles en la tragedia, se diferencia de su remedo en tono menor o "Don Juanillo"[31]. En la literatura hispánica se conoce suficientemente la vertiente metafísica del personaje, como un gozador de placeres carnales que da la espalda a Dios, sustento del orden moral. En el mismo libro autobiográfico, Huidobro expone, incluso gráficamente, cómo entiende por esos años "LOS DOS CAMINOS", el del "CIELO": "dolor, miseria, fealdad, privaciones, sumisión" y el del "INFIERNO": "felicidad, belleza, amor, satisfacciones, libertad"[32].

Esto da pie para tratar del segundo gran tema de *Gilles de Raiz*, estrechamente ligado al primero, que es su vertiente metafísica, el cuestionamiento heterodoxo por las verdades últimas y el ocultismo. Nuevamente en *Vientos contrarios*, Huidobro habla de su comportamiento en París en esa época:

> Como si mi cerebro estuviese dividido en dos compartimientos absolutamente independientes, me sentía atraído con igual pasión por el estudio de las ciencias, lo que me hizo seguir cursos en la Sorbona y otras universidades europeas sobre *Biología, Fisiología y Psicología Experimental*, y por el estudio de lo maravilloso, lo que me hizo dedicar muchas horas *a la Astrología, a la Alquimia, a la Cábala antigua y al ocultismo en general*[33].

Cuando en el Acto I de la tragedia, la Madre y la Hija (Gila) preguntan a la Bruja por el Señor de Machecoul (Gilles), ésta les contesta:

LA SORCIERE
Il est l'Alchimiste, il est l'Astrologue, il est l'Enchanteur, il est le Sorcier.
(29)

---

[31] Véase *Obras completas*. El apartado que les dedica en *Vientos contrarios* empieza así: "Dentro del concepto general del amor el nombre de Don Juan Tenorio se ha dividido hoy día en dos mitades. Un Don Juan es una cosa absolutamente distinta que un Tenorio.

Don Juan significa en amor algo más grave, más rotundo; es una fuerza de la naturaleza, un poder seductor invencible, arrollador. Un Tenorio es algo menor, es algo frágil, algo preocupado y con ciertos tintes de *preciosillo*."

[32] Véase el dibujo en *Obras completas*, reproducido al final del capítulo.

[33] *Obras completas*, las cursivas son mías. Estos datos fueron resaltados por Octavio Corvalán, en "Huidobro, el satánico" (1967:97-98).

LA BRUJA. –Es el Alquimista, es el Astrólogo, es el Encantador, es el Brujo. (12)

El Surrealismo o Superrealismo pretende dar una visión más profunda de la realidad, ir más allá de lo que a simple vista percibimos. Influidos por Freud, los surrealistas piensan que el modo de hacer aflorar esa realidad es dejando actuar el inconsciente, que se revela por medio de estados de trance, delirios[34] y por los sueños, a los que me he referido antes como aspectos que sobresalen al leer la tragedia de Huidobro. La atracción que sienten los surrealistas por la magia, la brujería, es notoria, así como su mayor libertad sexual, en comparación con la moral burguesa imperante. La llave que entra por el ojo de la cerradura del cuento de Barba Azul es un símbolo del acto sexual, representación que parece estar también en uno de los dibujos de Sima que ilustran la primera edición de *Gilles de Raiz* y que, aunque resulte un tanto borroso, semeja un gran falo erecto colocado encima de un útero. En alguna entrevista, Huidobro manifiesta su admiración por la psicología de Jung y cita *Tótem y Tabú* de Freud; la primera impresión de la tragedia se atribuye a Éditions Totem. El bosque en el que se pierde Gila (volvamos a la ilustración anterior de Sima), no sólo evoca los árboles de las predicciones de *Macbeth* de Shakespeare, sino que posee un valor simbólico como laberinto interior de la joven[35]. Cuando la joven se despoja de la toca monacal en el último Acto, simboliza con ello la liberación de su represión sexual. En el Epílogo, Bernard Shaw ostenta "un oeil poché", "un ojo de tinta" (199 y 90), y hay un juego de palabras "intraducible", como reconoce Teófilo Cid en una nota, entre "oeil" (ojo), "boeuf" (buey) y "oeuf" (huevo). Recordemos brevemente que el uso de apéndices narrativos en teatro se suele atribuir al influjo de Shaw; la admiración que sentía Huidobro por él en esta época debía de ser grande, pues a él y a G. K. Chesterton

---

[34] Corvalán trata también aquí (102) de la teoría del "delirio poético" de Huidobro; recuerda cómo en *Manifestes* (1925) decía: "En el delirio que es mucho más hermoso que el sueño, existe siempre el control de la razón (es un hecho probado científicamente), el control de la conciencia que en el sueño natural no existe."

[35] Rojo (capítulo introductorio, 1972) se refiere a Freud, luego a Adler y Jung, como influencias en el teatro psicológico que se produce en Hispanoamérica a partir de los años veinte, donde hallamos otras versiones del mito de Barba Azul, como el irónico *El pobre Barba Azul*, de Villaurrutia. Para el análisis de estos símbolos en la tragedia del chileno he utilizado bibliografía especializada que se cita a final del capítulo, como Doucet (1975), o diccionarios de símbolos, como el clásico de J. E. Cirlot.

les dedica *Finis Britannia* (1923). El ojo humano, símbolo de la capacidad superior para comprender, da lugar a la metonimia lingüística del ojo de la cerradura, en la que se introduce la llave que permite entrar en el arcano. Aunque el simbolismo del ojo es muy frecuente entre los surrealistas, baste recordar que Bataille publica su *Historia del ojo*, en 1928.

Siguiendo con la Astrología, que también interesaba a los surrealistas, el destino de Gilles se dice una y otra vez que está condicionado por un *Fatum*. Las esposas, cuyos cadáveres oculta el aposento cerrado con llave en la torre del cuento de Barba Azul, han sido convertidas por Huidobro en siete princesas, hijas de seis planetas más la Luna (falta la Tierra), cuyos nombres derivan de ellos (Jupiteria, Venusia, Mercuria, Marsia, Saturnia, Lunia y Urania), y a las que aplica correspondencias simbólicas (por ejemplo, con colores, poseen respectivamente cabelleras de color oro, verde, azul, rojo, negro, plata, castaño)[36]. En el Acto III se dice que giran en torno a Gilles como su Sol, no en vano este Acto se desarrolla teniendo como decorado de fondo un altar donde está entronizado el diablo. Si Gilles para Huidobro es el diablo, como declara en el Epílogo en el que reaparecen las princesas, es fácil entender la asociación blasfema que hace, pues Gilles = el Diablo = el Sol, sustituye a Dios. El número 7 es significativo por su valor sagrado, recordemos que también son siete los cantos de *Altazor* y, por lo que sabemos de la larga redacción del poema, no fue un número escogido al azar.

La desesperación del Mariscal de Francia histórico lo condujo a tratar de remediar su ruina económica mediante las artes ocultas, para lo cual hizo traer de Italia a Prelatti (Prelati en la traducción), quien gozaba de fama como alquimista, un personaje que interviene en la pieza de Huidobro. Psicología y Alquimia se asocian en ese momento a través de Jung[37]. En el Acto II Prelatti dice repetidamente a su señor: "Toute porte a sa clef et la trouver n'est pas impossible", "Cada puerta tiene su llave y no es imposible encontrarla" (89 y 40) y, a continuación, Gilles se dirige a Gila diciéndole:

> GILLES
> Gila! O Viens! Viens me faire oublier les angoisses matérielles, transformer le monde. Viens! Laisse-moi regarder *la pierre philosophale* de tes yeux. (89; las cursivas son mías)

---

[36] El tema es bastante complejo; véase, por ejemplo, Cirlot 1997.
[37] Doucet 1975: 26-27.

GILLES. –¡Gila! ¡Oh, ven! Ven a hacerme olvidar las angustias materiales, transformar el mundo. ¡Ven! Déjame mirar *la piedra filosofal* de tus
ojos. (40)

En el Epílogo, Huidobro alude a Santa Teresa de Jesús, calificándola de
mujer excepcional y comparándola, en boca de Sade, con la Marquesa de
Brinvilliers (222 y 100)[38]. El castillo de Gilles, como el de Barba Azul y el
castillo interior de Santa Teresa (*Las Moradas*), es un símbolo complejo en
el que se cruzan varias tradiciones culturales, y posee muchos recintos
que permiten intimar gradualmente con lo sagrado. La multiplicidad
imbricada de saberes, entre los cuales se encuentran la literatura ascética
y mística, se halla en *Altazor*, recordemos que el poeta es alta-azor, un
ave de cetrería que vuela muy alto. La diversidad de moradas aparece
también en la Cábala judía, que atrajo asimismo a Artaud, como veremos[39].

Esta tendencia a la heterodoxia frente al Catolicismo tradicional
de su formación, continúa el derrotero marcado por los Simbolistas,
Modernistas en el ámbito hispánico, y no es exclusiva de artistas y
literatos. Hoy en día, cuando nos horrorizamos ante los actos de barbarie cometidos por el nazismo, guiado por la teoría del "superhombre" y por las prácticas satánicas de su élite[40], podemos entender la

---

[38] Aunque la utilización del plural aquí al referirse a "las santas Teresas" y a "los
Cristos" puede ser simplemente enfática, cabe evocar también a Teresita de Lisieux,
mística coetánea.

[39] Según explica Cirlot, entre otros significados, el castillo negro se ha interpretado
como casa del alquimista y como mansión del más allá o puerta de acceso al otro mundo,
que, si es propiedad de un mal caballero, corresponde al dominio del señor de los
infiernos. Este interés de Huidobro por la Cábala no es único, recuérdese su influjo en
Jorge Luis Borges, cuyo famoso poema "El Golem" no puede entenderse sin ella; véase
el excelente comentario que hace de él Jaime Alazraki (1984), en *Expliquémonos a Borges
como poeta*. México: siglo veintiuno editores: 216-236.

[40] La bibliografía histórica sobre el tema es últimamente copiosa; remito, por ejemplo, a Trevor Ravenscroft: *Hitler: La conspiración de las tinieblas* o José Miguel Romaña:
Nazismo enigmático. Los orígenes ocultos del III Reich. Como seguidor de la teoría del
"superhombre" de Nietzsche, Huidobro, como muchos otros intelectuales coetáneos,
simpatizó temporalmente con el nazismo. En *Finis Britannia* (1923) arremete contra el
Imperio Británico, que sería su oponente en la Segunda Guerra Mundial. Años más
tarde, cuando Huidobro es militante comunista, lo condena abiertamente como fascismo
y tiene la valentía y generosidad de acudir a luchar físicamente contra él, formando
parte del ejército aliado.

inclinación que sintió Huidobro hacia esos temas en un determinado período de su vida. Cabe ahondar en el culto al diablo que presenta la tragedia, como una culminación de la religiosidad heterodoxa del chileno.

Como advierten atinadamente Octavio Corvalán y Teodosio Fernández[41], en el momento en que Huidobro debió de escribir *Gilles de Raiz* pertenecía a la Masonería. Fernández afirma que ingresó en la Gran Logia Masónica de Francia en 1924, aunque ignoro qué grado alcanzó y cómo fue su trayectoria posterior en ella. Si el Gilles histórico en su desesperación accedió a realizar prácticas satánicas, Huidobro/Gilles tiene el atrevimiento de llevar a escena el culto al diablo. Como explica Innes cuando trata del teatro de Jean Genet y Fernando Arrabal[42], sólo en alguien que haya sido un católico practicante y muy creyente cabe el ataque furioso a lo previamente establecido; para el escéptico o el indiferente esta postura carece de sentido, y es éste otro de los puntos en los que Huidobro se adelanta a su tiempo, escribiendo una obra de *teatro sagrado* acorde con el teatro de la crueldad de Artaud[43].

En *Gilles de Raiz* Huidobro apenas se ocupa de la vestimenta de los actores, pero cuando entra por primera vez el Mariscal en escena no lleva el traje de un noble de su época, sino un atuendo adecuado al rito de pacto con el diablo que va a llevar a cabo a continuación:

(*Entre Gilles de Raiz habillé d'une sorte de toge noire, couvert d'une cape, la tête coiffée d'une calotte de plomb avec, gravés, des signes cabalistiques*). (34)

(*Entra Gilles de Raiz vestido con una especie de toga negra, cubierto por una capa; lleva en la cabeza un gorro de plomo grabado con signos cabalísticos*). (14)

---

[41]   Corvalán 1967; Fernández: "Huidobro ante los límites del misterio", en *Huidobro. Homenaje 1893-1993*, Eva Valcárcel (ed.) (1995).

[42]   *Avant Garde Theatre. 1892-1992* (bibliografía del capítulo introductorio), 7: "Black Masses and Ceremonies of Negation".

[43]   Ibid.: 112, 115, 116: "This moral inversion echoes the theory of 'cruelty' Artaud derived from Sade, with its reversal of values based on the perception that 'in the manifested world, metaphysically speaking, evil is the permanent law, and what is good is an effort and already one more cruelty added to the other' ". "It has become almost a commonplace to refer to Genet's theatre as a black mass". "Genet's problem is that blasphemy is only possible for a believer, and today's society is secularized".

En el momento de la invocación al diablo, son también muy precisas las indicaciones sobre los movimientos y palabras de los actores, que, según parece, proceden del testimonio del Mariscal en su proceso[44]; resumo la escena: Gilles *"Con la punta de la espada traza un gran círculo en el suelo".* *"Traza un triángulo en el interior del círculo".* Coloca ritualmente, fuera del círculo, *"una cabeza de muerto, un cuadrado de piel de niño, cuatro clavos y dos velas".* *"Pone las dos velas en unos candelabros negros, uno al este y el otro al oeste del círculo, en la orilla"* y, por último, entrando en el círculo, comienza la llamada a Belcebú, pronunciando sus nombres (41, francés; 16-17, español)[45]. Lucifer irrumpe, acompañado por un gran ruido y viento, *"Vestido como un guerrero bárbaro"*[46] y firman la venta del alma al diablo con sangre. Tras el pacto, que busca en primer lugar un gran amor, se encuentran Gilles y la joven a la que llamará Gila; los gestos de la pareja poseen claramente un valor simbólico:

> LA FILLE
> Oh! J'y vais ma mère. C'est lui, je vais au bonheur, je vais à la vie.
> *(Elle avance les bras tendus vers Gilles qui tient ses bras grands ouverts comme une croix).* (71)

> LA HIJA. -¡Oh! Ya voy, madre mía. Es él, voy hacia la felicidad, voy hacia la vida.
> *(Se adelanta con los brazos tendidos hacia Gilles, que tiene los brazos abiertos como una cruz).* (32)

> GILA
> Entre la croix de vos bras je veux être le martyr de l'extase, une rivière de sang et d'amour. (74)

> GILA. –En la cruz de vuestros brazos quiero ser mártir del éxtasis, un río de sangre y de amor. (33)[47]

---

[44] Cfr. Georges Bataille: *La tragedia de Gilles de Rais.*

[45] Coincide con la explicación que da del "Círculo mágico" J. Felipe Alonso en *Diccionario Espasa. Ciencias Ocultas.*

[46] Bataille, ibid., asocia el salvajismo de Gilles de Rais al de los antiguos germanos. Cita apoyando su tesis un libro algo posterior a la tragedia del chileno: Georges Dumezil, *Les dieux des Germains,* Paris, 1939; es decir, que debía de ser una idea común en el momento.

[47] En el Acto IV, al reencontrarse la pareja, Gila, vestida de monja:

El Acto III, "La orgía", en el que Gilles se muestra desesperado por haber perdido a Gila, nos presenta una misa negra. A lo largo del mismo se dice reiteradamente que los personajes beben en copas, dato significativo que puede justificar además la desinhibición de sus actos. Tanto la acotación inicial como las posteriores poseen una fuerza visual y un atrevimiento impensables para un teatro público normal; no por la desnudez femenina –estamos en los locos años veinte–, sino por su actitud sacrílega. Más bien parecen indicaciones de un texto reservado para la lectura o para ser representado por una secta de iniciados. Recojo fragmentos:

La scène représente une grande salle du château de Machecoul. D'un côté, au premier plan, une table couverte de vases et de jarres de vin. Au fond, sur sept marches peinte chacune de la couleur d'une des sept planètes, une sorte d'autel. Derrière l'autel, comme une image de Saint, un tableau représentant Lucifer. (117)

La escena representa una gran sala del castillo de Machecoul. A un lado, en primer plano, una mesa cubierta de vasos y jarros de vino. Al fondo, sobre siete gradas pintadas cada una con el color de uno de los siete planetas, una especie de altar. Detrás del altar, a manera de imagen de santo, un cuadro representando a Lucifer. (53)

PRELATTI
(*Devant l'autel*).
Satan donne lui l'amour! donne nous l'or, découvre ton mystère...

GILA
(*Arrachant la coiffe, le voile, le rosaire et la croix et les plaçant sur la table devant les juges*).
Je ne veux pas sur mon front d'autre coiffe que la coiffe de ses mains, je ne veux pas d'autre voile que le voile de ses bras, je ne veux pas d'autre chapelet que le chapelet de ses caresses, je ne veux pas d'autre croix que la croix de son amour.
MALESTROIT
Oh! Blasphème!
JEAN BLOUYN
Sacrilège, sacrilège! cette femme est possédée du démon. (176)

GILA. (*Arrancándose la toca, el velo, el rosario y la cruz y colocándolos en la mesa, ante los jueces.*) –No quiero sobre mi frente otra toca que la toca de sus manos, no quiero otro velo que el velo de sus brazos, no quiero otro rosario que el rosario de sus caricias, no quiero otra cruz que la cruz de su amor.
MALESTROIT. –¡Oh! ¡Blasfemia!
JEAN BLOUYN. –¡Sacrilegio, sacrilegio! Esta mujer está poseída por el demonio. (80)

GILLES

La musique, le choeur!

(*Les lumières s' éteignent et l'on entend une musique lointaine. Lorsque les lumières se rallument, une femme nue est couchée sur l'autel de Lucifer et se contorsionne au son de la musique.*)

SORIELE

(*Entre en criant et se prosterne devant l'autel de Lucifer*).

Satan! Satan! donne nous l'amour inépuisable, donne-moi son amour!

PRELATTI

O! Seigneur Lucifer! Ennivre nous de ta lumière et de ta science!

GILLES

(*Avance à l'autel une coupe à la main, monte les marches, et verse la coupe sur le corps de la femme qui danse presque sans bouger sur l'autel. Il redescend et d'une voix forte, il clame:*)

Lucifer! Lucifer! c'est toi qui nous adorons! Maître des grands péchés, des péchés qui ne demandent pas de pardon, et de tous les vices! dieu calomnié, dieu fouetté par la stupidité des hommes, unique dieu de justice, dieu sans vengeance ni châtiments terribles pour la misère, unique dieu de bonté!

PRELATTI

(*Un encensoir à la main*).

Tes fidèles serviteurs t'implorent : gloire, richesse et puissance. (132-133)

PRELATI. (*Ante el altar*). –¡Satanás, dale el amor! Danos el oro, descubre tu misterio...

GILLES. –¡La música, el coro!

(*Las luces se apagan y se escucha una música lejana. Cuando las luces se vuelven a encender, una mujer desnuda está acostada sobre el altar de Lucifer y se contorsiona al sonido de la música*).

SORIELE. (*Entra gritando y se prosterna ante el altar de Lucifer*). –¡Satanás! ¡Satanás! ¡Danos el amor inagotable, dame su amor!

PRELATI. –¡Oh señor Lucifer! ¡Embriáganos con tu luz y con tu ciencia!

GILLES. (*Avanza hacia el altar con una copa en la mano, sube las gradas y vierte la copa sobre el cuerpo de la mujer, que baila casi sin moverse sobre el altar. Desciende y con voz fuerte clama*). –¡Lucifer! ¡Lucifer! ¡Es a ti a quien adoramos! ¡Maestro de los grandes pecados, de los pecados que no piden perdón, y de todos los vicios! ¡Dios calumniado, dios azotado por la estupidez de los hombres, único dios de justicia, dios sin venganzas ni castigos terribles para la miseria, único dios de bondad.

PRELATI. (*Con un incensario en la mano*). –Tus fieles servidores te imploran: gloria, riqueza y poder. (60-61)

La hipotética inversión de las posiciones de Dios (vencedor) y Satanás (vencido) de la que se habla en la obra, complica aún más la reflexión sobre el concepto del mal, eje del pensamiento de Bataille, como se sabe. Esta inversión no era ajena a la literatura y el arte finiseculares, como ejemplo de lo cual cabe citar los asuntos de cuentos del peruano Clemente Palma[48]. En la tragedia del chileno, Lucifer relata la batalla entre los ángeles buenos y malos del Génesis y a continuación corrige, enfurecido, un comentario del Padre Blanchet, cómplice del Mariscal:

> LUCIFER
> Idiot! Si l'Esprit du mal, comme tu l'appelles, avait gagné, l'esprit du mal régnerait, il se serait imposé et par conséquent il serait devenu l'Esprit du bien, et l'Esprit du bien, battu, serait devenu l'Esprit du mal. (64)

> LUCIFER. —¡Idiota! Si el Espíritu del Mal, como tú lo llamas, hubiese ganado, el Espíritu del Mal reinaría, se habría impuesto y, en consecuencia, habría llegado a ser el Espíritu del Bien, y el Espíritu del Bien, derrotado, habría llegado a ser el Espíritu del Mal (29)

Como he mencionado anteriormente, en el proceso ante los Jueces de *Gilles de Raiz* (Acto IV) se enumeran sus terribles crímenes, pero se dice, contra la tradición histórica, que no se produce su arrepentimiento; las últimas palabras de Gilles son su identificación con el diablo.

Al igual que en *Temblor de cielo* y el principio de *Altazor*, el Epílogo de la tragedia concluye con la exaltación del amor y la declaración de la muerte de Dios; el final es:

> LA BRINVILLIERS
> Nous allons tous mourir de la mort de Dieu.
> (*L'obscurité se fait. Tous meurent, sauf Gilles et Gila qui restent éclairés*).
> GILLES
> Tout le monde est morte. Moi seul je vis.
> GILA
> Gilles, nous sommes encore vivants! Regarde-moi. Que nos bouches en se joignant éclairent l' éternité!

---

[48] Véase otra bibliografía del capítulo. De estas cuestiones trató Ricardo Gullón, al explicar el Modernismo.

GILLES

Silence! Dieu est mort. Nous attendrons éternellement le Jugement Dernier. (232)

LA BRINVILLIERS. –Vamos a morir todos de la muerte de Dios.

(*Se hace la oscuridad. Todos mueren, salvo Gilles y Gila, que permanecen iluminados*).

GILLES. –Todo el mundo ha muerto. Sólo yo vivo.

GILA. –¡Gilles, estamos todavía vivos! ¡Mírame! Que nuestras bocas al juntarse iluminen la eternidad.

GILLES. –¡Silencio! Dios ha muerto. Esperemos eternamente el Juicio Final. (105)

Es claro que la pertenencia de Huidobro a la Masonería es un dato interesante para la obra. En su alegato político *Finis Britannia*, publicado por primera vez en Paris (Éditions "Fiat Lux", 1923), el *alter ego* de Huidobro, Victor Haldan, ha creado una sociedad secreta, la Sociedad Alpha, para promover el levantamiento de las colonias del Imperio Británico. Según he podido saber, el Supremo Consejo de Chile se fundó en 1863, en Valparaíso, siguiendo el Rito Escocés Antiguo y Aceptado, en el cual poseen un valor simbólico los términos "Fiat Lux" y "Alpha"[49]. Mientras Haldan viaja en el Orient Express aparecen unos dedos que dibujan el año 1929 como fecha final del Imperio, actualizando el pasaje bíblico de la misteriosa mano que profetiza la destrucción del Imperio babilónico.

En *Cagliostro* Huidobro se ocupa de Giuseppe Balsamo, Conde de Cagliostro, otra figura histórica, esta vez del siglo XVIII, rodeada de misterio. Con fama de mago y alquimista, fue el fundador de la Masonería Egipcia y acabó encarcelado. En la novela, Huidobro lo contrapone a Marcival, el gran Rosacruz, quien se dice que castiga a Cagliostro por emplear sus poderes en beneficio propio. Es como si Huidobro pensara en la existencia de dos masonerías, una blanca, filantrópica, y otra negra, dañina para la colectividad[50].

---

[49] Véase la bibliografía. En el *Diccionario Enciclopédico de la Masonería*, t. I: 306 y 32 respectivamente: "FIAT LUX": "Palabras simbólicas del grado 20. del Rito Escocés Antiguo y Aceptado"; "ALPHA": "Primera letra del alfabeto griego, la cual se ve bordada en la banda del grado 19. del Rito Escocés Antiguo y Aceptado".

[50] Véase, por ejemplo, Teodosio Fernández.

Sin extenderme mucho en un tema extremadamente complejo, que exigiría por sí solo un estudio amplio, para corroborar lo dicho, me referiré a un libro sobre el tema, escrito en Chile en esos años: *El Misterio de la Masonería. Descorriendo el velo*, del Ilmo. Sr. Dr. Don José María Caro, Obispo de La Serena, quien parece un hombre ecuánime y muy bien documentado, y del que tomo algunas notas[51]. El autor sostiene que el libro es necesario por la fuerza que ha cobrado la Masonería, a la que atribuye los sucesos políticos de 1924 en Chile. Además de seguir siendo una sociedad secreta, la Masonería se caracteriza por un anticatolicismo, de ahí los signos católicos invertidos que utiliza. Según explica Caro, la tradición masónica tiene por padre a Hiram o fue fundada por Caín, nacido de Satanás o Eblis, ángel de luz, y de Eva, seducida por él. Aunque el propio Caro defienda la honestidad de muchos masones, ataca los principios de la sociedad, a la que recrimina que en varios de sus grupos se exija ultrajar la Cruz de Cristo. Si sabido es el papel que ejercieron las Logias europeas en la Independencia de América, Caro resalta la vinculación entre la Masonería y la Revolución bolchevique en Rusia. En un repaso de la actuación de los masones en diferentes áreas geográficas, Caro dedica varias páginas a su comportamiento en Chile (99-104). Al hablar de la religión masónica, establece grados en el culto a un ser superior que puede ser El Gran Arquitecto, la Naturaleza, El Sol, La Carne, Satanás o Lucifer. Tal como él oyó exponer en Chile, "Satanás es el dios bueno o el ángel de luz, que vino a enseñar a Eva el secreto que había de hacer que el hombre fuera como Dios, seduciéndola carnalmente, conocimiento que ella participó a Adán, después" (115); de ahí la veneración y el agradecimiento "hacia el ángel que enseñó al hombre a tener la libertad masónica, despreciando a Dios" (ibid.) "[...] hay ciertas sociedades masónicas, que son *satánicas*, no en el sentido de que el diablo venga a presidir las reuniones, como lo pretendía ese mistificador de Leo Taxil, sino en el de que los iniciados profesan el culto de Lucifer" (117). Por aversión al Cristianismo, en ellas se recomienda hacer todo lo que el Cristianismo prohíbe y viceversa. Caro se extiende también en el influjo de la Masonería en política, asociada al Partido Liberal, luego

---

[51] En la Biblioteca Nacional de Madrid se puede leer la 2ª edición aumentada y corregida, Santiago: Imprenta Chile, 1926; que se dice siguió pronto a la primera, por el gran éxito obtenido.

al Radical y posteriormente a Socialismo, Comunismo y Bolchevismo. La Masonería alardea de seguir los ideales de la Revolución francesa: libertad, igualdad, fraternidad, pero en la práctica sucede lo contrario, porque para ellos "el fin justifica los medios". Se niega la inmortalidad y espiritualidad del alma individual, pero se aceptan otras creencias: "Las doctrinas masónicas sobre este punto, tales como las han expuesto Pike y Mackey, son las mismas de los gnósticos, con las viejas teorías de la preexistencia de las almas, de su transmigración y de su vuelta a Dios" (204). La Masonería combate el orden social, de ahí su vinculación al Anarquismo y a los Partidos revolucionarios en general. "La *libertad masónica* que lleva al hombre a tenerse como su propio dios, conduce naturalmente a todas las revoluciones y al anarquismo más absoluto" (207). Basándose en Creus y Corominas[52], Caro transcribe las conclusiones del Congreso Internacional Antimasónico de Trieste, en el que se analiza la Francmasonería. Relaciona la masonería con templarios, rosacruces, maniqueos, gnósticos y la cábala judía, entre otros. En la relación que establece entre Masonería y Ciencias ocultas, Caro recuerda la figura del Conde Cagliostro (262, 276). Asimismo asocia la Masonería al Congreso de los Radicales chilenos, de 1925. Es posible que la vinculación de las explicaciones de Caro al contenido de *Gilles de Raiz* pueda parecer a algunos excesiva, pero, en cualquier caso, testimonian un clima ideológico que ayuda a comprender tanto la voluntad del autor como la recepción de su obra.

Aún se ha estudiado muy poco cómo influyó el dramaturgo y narrador belga Michel de Ghelderode en la Vanguardia hispanoamericana[53]. Fascinado como Artaud, Bataille o Huidobro por la Edad Media tardía, varios aspectos de sus obras coinciden con la escritura del chileno: rebeldía contra el Catolicismo, anticlericalismo, gusto por lo esotérico, satanismo, creación lingüística, experimentalidad teatral, importancia del teatro de marionetas[54]. Su teatro ha sido visto como un "teatro de la crueldad", aplicándosele la designación de Artaud.

Volviendo al principio de estas páginas, cabe contrastar ahora la concepción teatral de *Gilles de Raiz* (1925-1926, publicado en 1932) con

---

[52] Puede ser Teodoro Creus y Corominas: *El reino de Dios y el reino de Satanás* (1913).

[53] Castagnino (Rojo, bibliografía del capítulo introductorio, 93) relacionaba sus grotescos satanistas con el teatro de Arlt; Carlos Solórzano (id., 184) reconocía un influjo en su propio teatro.

[54] Véase bibliografía del capítulo.

los postulados teóricos de Artaud, en "El teatro de la crueldad. Primer manifiesto" (1932) y, en general, con los escritos suyos reunidos como *El teatro y su doble* (1938)[55]. Hay que tener en cuenta aquí, que en los años en que sitúo la redacción original de la tragedia del chileno todavía no ha conocido Artaud el teatro balinés (1931), de cuya recepción como espectador proceden varias de sus propuestas, y que, tras la crisis de 1925-1926, Huidobro se reinstala en París. El teatro de Vicente Huidobro se puede comprender mejor a la luz de Artaud, aunque establezcamos parecidos y diferencias entre ambos.

Artaud expresa sus ideas de modo sintético en el "Primer manifiesto", donde, como hombre de teatro que es, hace un recorrido por los diversos elementos que integran la puesta en escena, expresando cómo, en su opinión, deberían de utilizarse; diferencia notoria con Huidobro, quien, pese a poseer, a mi juicio, una gran sensibilidad teatral y estar al día de las novedades escénicas, es ante todo un escritor que da prioridad al aspecto verbal de las obras. En su manifiesto, Artaud hace afirmaciones como ésta:

> El teatro sólo podrá ser nuevamente el mismo, ser un medio de auténtica ilusión, cuando proporcione al espectador verdaderos precipitados de sueños, donde su gusto por el crimen, sus obsesiones eróticas, su salvajismo, sus quimeras, su sentido utópico de la vida y de las cosas y hasta su canibalismo desborden en un plano no fingido e ilusorio, sino interior.
>
> En otros términos, el teatro debe perseguir por todos los medios un replanteo no sólo de todos los aspectos del mundo objetivo y descriptivo externo, sino también del mundo interno, es decir, del hombre considerado metafísicamente. Sólo así, nos parece, podrá hablarse otra vez en el teatro de los derechos de la imaginación. (104)
>
> [...]
>
> Sin un elemento de crueldad en la base de todo espectáculo, no es posible el teatro. En nuestro presente estado de degeneración, sólo por la piel puede entrarnos otra vez la metafísica en el espíritu. (112)

E insiste en la prioridad de la puesta en escena sobre el texto escrito, hasta el punto de sugerir llevar a las tablas "sin cuidarnos del texto" varios asuntos, entre los cuales recoge:

---

[55] Cito por *El teatro y su doble*, Barcelona: Edhasa, 1996. Vuelvo a recordar que en 1927 Artaud interviene como actor en *La pasión de Juana de Arco*, de Carl Dreyer.

3. Un extracto del *Zohar*[56], la historia del Rabbi Simeón, que tiene siempre la violencia y la fuerza de una conflagración.

4. La historia de Barba Azul, reconstituida según los archivos y con una idea nueva del erotismo y de la crueldad.

Reclama investigaciones sobre la iluminación y una sala no convencional que permita restablecer la comunicación directa con los espectadores, aspectos que no se reflejan en esta tragedia de Huidobro, más tradicional; junto con una puesta en escena efectista, gestos simbólicos, una vestimenta ritual[57], en lo que sí coincide con lo que requiere para su obra el chileno.

En *El teatro y su doble* Artaud expone de modo más detenido lo que había escrito en sus Manifiestos y en otros lugares, a cuyas páginas remito para continuar el paralelo. Artaud inicia su ensayo sosteniendo, en el primer capítulo, que el verdadero teatro conmociona a la sociedad como la peste, de ahí que escoja el tema del mal:

> Una verdadera pieza de teatro perturba el reposo de los sentidos, libera el inconsciente reprimido, incita a una especie de rebelión virtual (que por otra parte sólo ejerce todo su efecto permaneciendo virtual) e impone a la comunidad una actitud heroica y difícil. (31-32)
>
> [...]
>
> La aterrorizante aparición del Mal que en los misterios de Eleusis ocurría en su forma pura verdaderamente revelada, corresponde a la hora oscura de algunas tragedias antiguas que todo verdadero teatro debe recobrar.

---

[56] En una nota de *La escena moderna* (véase capítulo introductorio) Sánchez explica: "Zohar (*Sefer ha-Zohar*, *Libro del esplendor*), obra clásica de la cábala judía, atribuida al tanna Simeón BAR YOJAI. En realidad, fue compilado por el cabalista castellano Moisés DE LEÓN (1240-1305). Su doctrina, extremadamente compleja, deriva de principios neoplatónicos" (206).

[57] Sánchez afirma: "El rechazo del vestuario moderno tiene que ver con el interés de Artaud por recuperar temas míticos, pero también con su intención concreta de que los personajes aparecieran en escena como fantasmas" (204). "En las decoraciones creadas por Artaud para el Théâtre Jarry, se insinúan algunas de las ideas formuladas aquí más radicalmente. Artaud propuso imágenes surrealistas, que desconcertaran e inquietaran al espectador [...] Según los críticos de la época, las imágenes escénicas propuestas por Artaud recordaban los cuadros metafísicos de Giorgio de Chirico y, como éstos, debido a la disposición o presencia inesperada de los objetos, eran capaces de provocar inquietud en el espectador, hechizado por ese ambiente enigmático en el que parecía que de un momento a otro podría estallar algo" (205).

El hecho esencial se asemeja a la peste, no porque sea también contagioso sino porque, como ella, es la revelación, la manifestación, la exteriorización de un fondo de crueldad latente, y por él se localizan en un individuo o en un pueblo todas las posibilidades perversas del espíritu.

Como la peste, el teatro es el tiempo del mal, el triunfo de las fuerzas oscuras, alimentadas hasta la extinción por una fuerza más profunda aún. (34)[58]

Podemos decir ahora que toda verdadera libertad es oscura y se confunde infaliblemente con la libertad del sexo, que es también oscura, aunque no sepamos muy bien por qué. (35)

En el segundo capítulo, en el que trata ya del teatro balinés, Artaud se refiere a la correspondencia de los sentidos que debe existir en este arte. Frente a Huidobro, Artaud declara que la puesta en escena tiene que estar siempre antes que las palabras y si hay algo que echamos de menos en *Gilles de Raiz* es un mayor dinamismo, pues hay escaso movimiento de personajes en cada acto y la densidad verbal, como he expuesto, constituye el centro de la tragedia[59]. No obstante, Huidobro y Artaud coinciden en la índole metafísica que ha de tener el teatro. Artaud considera el lenguaje como "una forma de *encantamiento*" (52); dice a continuación:

Todo, en esa manera poética y activa de considerar la expresión en escena, nos lleva a abandonar el significado humano, actual y psicológico del teatro, y reencontrar el significado religioso y místico que nuestro teatro ha perdido completamente. (52)

---

[58] En una "Carta sobre la crueldad" (1931), recogida en la recopilación que cito, Artaud asocia asimismo mal y crueldad: "En el ardor de vida, en el apetito de vida, en el irracional impulso de vida, hay una especie de maldad inicial: el deseo de Eros es crueldad en cuanto se alimenta de contingencias; [...] En la manifestación del mundo y metafísicamente hablando, el mal es la ley permanente, y el bien es un esfuerzo, y por ende una crueldad que se suma a la otra. [...] El bien está siempre en la cara exterior; pero la cara interior es el mal. Mal que eventualmente será reducido, pero sólo en el instante supremo, cuando todo aquello que fue forma se encuentra a punto de retornar al caos" (118). Esa inclinación al tema del mal será, como se sabe, característica de los escritos de Bataille.

[59] Veremos una y otra vez cómo uno de los defectos del primer teatro vanguardista hispanoamericano es la densidad de signos, que entorpece su recepción. La condición críptica y pluridisciplinar de *Gilles de Raiz* hace la obra muy compleja.

Artaud identifica también teatro y alquimia (otra analogía) en la utilización de símbolos:

> Parece en verdad que donde reinan la simplicidad y el orden no puede haber teatro ni drama, y que el verdadero teatro, como la poesía, pero por otros medios, nace de una anarquía organizada, luego de luchas filosóficas que son el aspecto apasionante de estas unificaciones primitivas. (58)

Como he dicho, tanto cuando describe elogiando el teatro balinés, como cuando contrasta teatro oriental y teatro occidental, Artaud sostiene la supremacía que deben poseer la puesta en escena y el director sobre las palabras, atribuyendo a este último el papel de "una especie de ordenador mágico, un maestro de ceremonias sagradas" (69); puntos en los que no podía coincidir Huidobro, pues él era incapaz de ceder el lugar de oficiante en su ceremonial del lenguaje. Sigo con Artaud:

> El teatro balinés nos ha revelado una idea del teatro física y no verbal, donde los límites del teatro son todo aquello que puede ocurrir en escena, independientemente del texto escrito, mientras que en Occidente, y tal como nosotros lo concebimos, el teatro está íntimamente ligado al texto y limitado por él. Para el teatro occidental la palabra lo es todo, y sin ella no hay posibilidad de expresión; el teatro es una rama de la literatura, una especie de variedad sonora del lenguaje y aun si admitimos una diferencia entre el texto hablado en escena y el texto leído, aun si limitamos el teatro a lo que ocurre ante las réplicas, nunca alcanzamos a separarlo de la idea de texto interpretado. (79)

Artaud culpa de este hecho a Shakespeare, deplorando la "decadencia" del teatro coetáneo (88). Por el contrario, expresa su admiración por "Rimbaud, Jarry, Lautréamont y algunos más" (89), en lo cual coincide con Huidobro[60].

Finalmente concluye:

---

[60] Preguntado Huidobro acerca de "¿Cuáles son, para Ud., los valores más altos que Ud. admira en esas escuelas pasadas?", contestó nombrando a los poetas simbolistas y a Jarry, aunque dijo preferir a los de su generación. *La Nación*, Santiago de Chile, 28 de mayo de 1939, p. 5, sin firma; recogido en *Textos inéditos y dispersos* del autor (66). Artaud y Huidobro coinciden en reconocer la importancia de "La Triade décisive", como califica a los autores mencionados, por ejemplo, José Pierre, en *L'univers surréaliste*.

Por eso propongo un teatro de la crueldad. Con esa manía de rebajarlo todo que es hoy nuestro patrimonio común, tan pronto como dije "crueldad" el mundo entero entendió "sangre". Pero *teatro de la crueldad* significa teatro difícil y cruel ante todo para mí mismo. [...] (90)

O nos mostramos capaces de retornar por medios modernos y actuales a esa idea superior de la poesía, y de la poesía por el teatro que alienta en los mitos de los grandes trágicos antiguos, capaces de revivir una idea religiosa del teatro (sin meditación, contemplación inútil, y vagos sueños), de cobrar conciencia y dominio de ciertas fuerzas dominantes, ciertas ideas que todo lo dirigen; y (pues las ideas cuando son eficaces llevan su energía consigo) de recobrar en nosotros esas energías que al fin y al cabo crean el orden y elevan el valor de la vida; o sólo nos resta abandonarnos a nosotros mismos sin protestas e inmediatamente, reconociendo que sólo servimos para el desorden, el hambre, la sangre, la guerra y las epidemias. [...]

Propongo devolver al teatro esa idea elemental mágica, retomada por el psicoanálisis moderno, que consiste en curar a un enfermo haciéndole adoptar la actitud exterior aparente del estado que se quiere resucitar. (91)

[...] Propongo pues un teatro donde violentas imágenes físicas quebranten e hipnoticen la sensibilidad del espectador, arrastrado por el teatro como por un torbellino de fuerzas superiores. Un teatro que abandone la psicología y narre lo extraordinario, que muestre conflictos naturales, fuerzas naturales y sutiles, y que se presente ante todo como un excepcional poder de derivación. Un teatro que induzca al trance, como inducen al trance las danzas de los derviches y de los aisaguas, [...] (94)

Para Artaud (habría que matizar esto en Huidobro) el teatro de la crueldad tiene que ser un espectáculo de masas. Continúa: "Así como nos afectan los sueños, y la realidad afecta los sueños, creemos que las imágenes del pensamiento pueden identificarse con un sueño, que será eficaz si se lo proyecta con la violencia precisa" (96-97). Y anhela "resucitar una idea del espectáculo total"; el teatro "en suma se identifica con las fuerzas de la antigua magia" (97).

Pienso que todo lo que he escrito hasta ahora permite entender mejor *Gilles de Raiz*; teatro agónico, apocalíptico, que quiere golpear el ánimo de los espectadores, bien para convencerlos, bien para actuar sobre ellos a modo de catarsis[61], como un verdadero teatro de la crueldad.

_____

[61] En el Apocalipsis bíblico, en medio de grandes catástrofes, se llega al dominio de la Bestia, tras lo cual se producirá la segunda venida de Cristo a la tierra, quien res-

En la edición en español por la que cito la tragedia, se dice que algunos fragmentos de *Gilles de Raiz* se llevaron a escena en el Théâtre de l'Oeuvre de París, en 1933[62]. Recordemos que este teatro, dirigido por Lugné-Poe, había sido el lugar de estreno de *Ubu Roi* de Jarry, en 1896. En el mismo lugar se añade que la obra completa se llegó a representar en Santiago, el 1 de agosto de 1994, en el Teatro de la Universidad Católica de Chile, pero no he logrado obtener muchos datos acerca de cómo se llevó a cabo esa puesta en escena[63].

2. *EN LA LUNA*

En su segunda pieza para el teatro, Huidobro pretende asimismo transformar a los espectadores, pero en otro sentido. Si en la primera buscaba provocar una conmoción espiritual, de índole metafísica, en ésta trata de suscitar una conmoción política. Como el lenguaje que utiliza aquí Huidobro es más sencillo, la obra ha sido, en general, más leída y hay mayor número de estudios críticos sobre ella; sin embargo, en muchos se echan en falta apreciaciones relativas a su condición de obra dramática, en el contexto teatral de la época.

El título completo de la primera edición es *En la luna. Pequeño guiñol*[64] *en cuatro actos y trece cuadros* y se publicó en Santiago de Chile, Editorial Ercilla, 1934. Como explica atinadamente Sergio Saldes[65], la misma pala-

---

tablecerá la paz. Óscar Hahn (1994) resalta la visión apocalíptica de Huidobro en textos de esos años: *Temblor de cielo* y la novela *La próxima*, publicados respectivamente en 1931 y 1934. Por mi parte, no obstante la pose de poeta maldito del chileno, no me atrevería a decir que en el momento de publicación de *Gilles de Raiz* (1932) quisiera convencer a sus lectores/espectadores de la victoria del mal, sino más bien creo que se trata de una obra en la que libera sus "demonios", en una función purificadora de la literatura; que es la interpretación psicoanalítica que aplicó Mario Vargas Llosa a su famosa tesis sobre Gabriel García Márquez, *Historia de un deicidio*.

[62] Véase también Costa 1984: 153.

[63] Pedí información a la Profesora e investigadora M. de la Luz Hurtado, quien había recibido el encargo gubernamental de elaborar un Archivo histórico del teatro chileno.

[64] Conservo la grafía, por lo que digo a continuación. Aunque he manejado la primera edición, cito por *Gilles de Raiz. En la luna (Teatro completo)*.

[65] Véase la bibliografía del capítulo.

bra francesa *guignol* no sólo remite al uso de títeres o marionetas, sino a un tipo de teatro de vodevil (*vaudeville*) muy popular en Francia desde finales del siglo XIX, en el que se representaban farsas. La *farce*, o farsa medieval francesa, renace en este período con autores menores como Labiche, Feydeau o Courteline, para revalorizarse intelectualizada en Jarry y los surrealistas, sirviendo de precedente al teatro del absurdo. Se vincula asimismo a los grandes cómicos del cine mudo. Como género, la farsa se caracteriza por su brevedad tendente a la abstracción, intentar producir una comicidad gruesa y subversiva, para lo cual se vale del tópico del mundo al revés, juegos de palabras y un tono obsceno; en la puesta en escena, de acuerdo con su origen, tiende a la simplicidad y a la desmesura, como reflejan los decorados y la apariencia de los actores[66].

Huidobro sabe claramente lo que quiere y el texto va precedido por una "ADVERTENCIA" suya "Al actor y al escenólogo" que no se puede pasar por alto:

> Casi todos los personajes de la pieza doblan y aun pueden salir tres y cuatro veces. Los actores no deben olvidar que la pieza es guiñolesca y que pueden emplear un tono exagerado, de grandes gestos, sin extremarse hasta la vulgaridad.
>
> Las frases o diálogos o escenas que puedan suprimirse, en caso de que sea preciso acortar la pieza, irán señalados en el texto.
>
> Se recomienda que los decorados sean de un gusto extremista: o muy simples o muy recargados. Si son muy simples podrá emplearse en varias escenas el mismo decorado con pequeños cambios.
>
> Los políticos vestirán un chaqué de satén de color fuerte: rojo, verde, violeta, azul, amarillo o a cuadros rojos y amarillos o azules y verdes, etc. Los pantalones en contraste.
>
> Los militares, trajes teatralmente militares. Todos los personajes deben vestir del modo más convencionalmente teatral o algo opereta.
>
> Colorín Colorado todo de rojo y con una peluca colorina, un poco desgreñada como un pillete de la calle.
>
> Creo que bastan estas pequeñas indicaciones. Lo demás queda al gusto del escenólogo o va indicado en el texto. (109)

Es decir, que aunque intervengan títeres o marionetas en parte de la pieza, Huidobro está pensando en actores de carne y hueso con un tipo de actuación determinada, en la línea de la "Supermarioneta" de Craig;

---

[66] Véase la bibliografía del capítulo introductorio.

los cuales imitarían los gestos descarnados de las marionetas, tal como exponen directores de teatro de esos años que desean romper con la escena realista y naturalista y con el divismo de los actores.

La obra es una farsa política en la que Huidobro critica sistemas de gobierno decadentes: democracias o monarquías débiles sujetas a sucesivos golpes de Estado, contra las que se levanta el clamor popular, guiado por el "colectivismo". Como recuerda, por ejemplo, Erminio Neglia, la crítica teatral a las dictaduras hispanoamericanas tiene un precedente importante en *El gigante Amapolas*, del argentino Juan Bautista Alberdi, tanto por su asunto, como por su estilo esperpéntico, de gran modernidad[67].

Su asunto se puede relacionar con la intervención política de Huidobro en Chile, en 1925, y con su evolución ideológica posterior, que le lleva a aproximarse al Partido Comunista en los años siguientes. Como se sabe, un tiempo después de la publicación de la farsa, desengañado, se alejará del mismo, declarándose públicamente anticomunista en 1947[68]. No obstante referirse Huidobro al Colectivismo desde el primer Acto, en la obra predomina un humor absurdo y demoledor hasta el Acto III, haciéndose más explícito el mensaje político en el Acto IV, en el que da además pistas claras de su deuda con el *Ubu Rey* de Alfred Jarry. Da la sensación de que la obra pudo tener una primera redacción, como *Gilles de Raiz*, hacia 1925, para ser corregida y ampliada posteriormente, cuando Huidobro pertenece ya al Partido. Es importante destacar también que el chileno no utiliza en la pieza los términos Socialismo o Comunismo, sino sólo "Colectivismo" o "colectivista", que es un modo particular de referirse a un gobierno de base popular[69].

---

[67] "El tema de la tiranía en el teatro hispanoamericano", recogido en su libro *El hecho teatral en Hispanoamérica* (ibid.): 179-199.

[68] Véase, por ejemplo, Costa: *Huidobro. Los oficios de un poeta*. Ya vimos que el Obispo D. José María Caro asociaba Comunismo y Masonería en Chile en la época, sin observar un conflicto entre las dos militancias.

[69] Agradezco la aclaración al Profesor de Historia Contemporánea de la Universidad de Cádiz, el Dr. Julio Pérez Serrano, quien me explicó que si en Europa, en la época, Colectivismo se identifica con Anarquismo y se opone a Comunismo (en tanto que estatalista), en el Socialismo de Luis Emilio Recabarren, fundador del Partido Comunista de Chile, los conceptos se mezclan. Esta parece ser la razón que ha llevado a algún crítico a hablar del Socialismo utópico de Huidobro. Recabarren tuvo asimismo un papel destacado en el surgimiento de un teatro social chileno; véase, por ejemplo, Orlando Rodríguez, en la bibliografía.

Aunque Huidobro eluda localizar su farsa en un espacio real, la trama, que transcurre irónicamente "En la luna", sugiere una capital de América Latina[70]; tanto por la descripción de la plaza pública principal, donde, siguiendo el trazado de la Colonia, se sitúan a un lado el Palacio de Gobierno, al centro una estatua, al fondo "una balaustrada" (115); como por la crítica a la injerencia de las potencias extranjeras en el gobierno de la nación (por ejemplo, en 121) y a otros aspectos de la política local. A lo largo de la obra, el diálogo de los personajes hace evocar las circunstancias en las que el autor se presentó como candidato para la Presidencia de la República, en Chile, en 1925: apoyado por la Federación de estudiantes, dirigía sus discursos contra la gerontocracia y la corrupción política, como líder progresista dispuesto a realizar reformas sociales en beneficio del pueblo[71]. En *Vientos contrarios* (1926) Huidobro sostiene categóricamente:

Es incomprensible que un individuo que haya estudiado profundamente la sociedad actual no sea comunista. [...] Es incomprensible que un individuo que haya estudiado profundamente el comunismo, no sea anarquista[72].

Un año antes de la publicación de *En la luna*, en 1933, Huidobro es invitado a opinar "Sobre el momento político y económico de Chile y de América", respondiendo a las siguientes preguntas:

1. *¿A qué atribuye Ud. la inquietud política de los países latinoamericanos?*
2. *¿Cree Ud. que el mundo pueda solucionar la crisis sin adoptar nuevos sistemas políticos y económicos?*
3. *¿Cuáles estima Ud. los factores esenciales en Chile para el retorno a la prosperidad?*

Sus palabras aclaran aspectos importantes de la farsa:

1ª A dos factores primordiales con sus derivados: un factor económico y un factor sicológico o social. El factor económico puede resumirse en la crisis del régimen capitalista, en las contradicciones de este régimen, cuyo caso patente

---

[70] Igual opina Saldes (1987): 98.
[71] Por ejemplo, José Alberto de la Fuente: "Aspectos del pensamiento social de Vicente Huidobro", en *Cuadernos Hispanoamericanos. Los complementarios*, nº 12, pp. 41-52; Costa.
[72] En *Obras completas*.

palpamos nosotros en la lucha de los imperialismos por la conquista de mercados y la conquista de los países productores de materias primas. [...]

El factor sicológico-social es un epifenómeno del factor económico y proviene de la crisis de autoridad y del avance de las ideas sociales y el retraso de sus gobernantes. Los políticos demagogos de América se han quedado dormidos en la época feudal. Mientras el mundo avanza, ellos siguen durmiendo a la sombra de un cocotero, esperando que les caiga un coco, como una bomba, sobre la cabeza. Los gobernantes no tienen prestigio, nadie cree en ellos, porque ellos no merecen que se crea en ellos. Ninguno ha sido capaz de resolver los problemas de su país. Esto produce la crisis de autoridad. Anda una estrofita, que se canta en guitarra, por ahí por nuestra América, y que resume muy bien lo que digo:

Pandolfo gobierna hoy
Si Pandolfo es Presidente
También lo puedo ser yo.

Se ha visto tal desfile de presidentes analfabetos en América, que el cantor de la guitarra está plenamente justificado para pensar que él no lo haría peor.

2ª Me parece imposible solucionar la crisis sin un cambio completo del sistema político y económico. Este cambio lo señala el marxismo-leninismo, o sea, la economía socialista, y no hay otra posible.

3ª El único factor esencial es adoptar los principios de la revolución agraria e antiimperialista. La revolución social en nuestros países latinoamericanos no puede ser una revolución social-comunista como será en los grandes países industriales del mundo, sino una revolución agraria antiimperialista, o sea, nacionalización de la riqueza, expulsando a los imperialistas y reparto sólo de la gran propiedad. Dentro del materialismo histórico, éste es el paso de la evolución que corresponde a nuestros países[73].

Estas reflexiones pueden explicar su uso de "Colectivismo" en lugar de "Comunismo", acercando al europeísta Huidobro a pensadores latinoamericanos coetáneos como Luis Emilio Recabarren, fundador del Partido Comunista de Chile, o los peruanos José Carlos Mariátegui y Víctor Raúl Haya de la Torre, ampliamente conocidos por sus ensayos[74].

---

[73] *Textos inéditos y dispersos*: 55-56.

[74] Costa: 147, señala que los discursos de Recabarren, conservados en la biblioteca de Huidobro, se ven gastados, lo cual es indicio de que fueron objeto de estudio y consulta

Detallando aún más el asunto político, la obra comienza con una convocatoria de elecciones presidenciales, decidida por el Consejo de los Ancianos en el Palacio de Gobierno (Acto I, Cuadro II). Se presentan tres candidatos, entre los cuales los Ancianos eligen aquél de nombre más vulgar: Juan de Juanes[75], quien se asoma a saludar desde el Palacio, investido con una banda presidencial que ostenta, simbólicamente, *"todos los colores del arco iris"* y acompañado por las notas del *"Himno Nacional Lunense: la sardana 'Nit de amor'"* (p. 124). La sardana, como se sabe, baile propio de Cataluña, ha estado ligada a reivindicaciones nacionalistas; la que ahora se oye, "La nit de l'amor", con letra de Santiago Rusiñol, miembro destacado de la Renaixença catalana, y música de Enric Morera, será una de las más populares, llevada por ello a los escenarios, y se opondrá, en la estructura de la farsa de Huidobro, a otra sardana que tendrá un papel relevante al final, como veremos[76]. El siguiente Cuadro recoge

---

frecuente. Recuérdese que Huidobro publica *En la luna* en 1934, año en que se define el Realismo socialista en arte y empieza a trascender la política represiva de Stalin.

[75] El uso de superlativo hebreo lo subraya.

[76] Véase otra bibliografía del capítulo. Transcribo la letra de "La nit de l'amor", que recoge Josep Miracle en su *Llibre de la sardana*: 192-193:

Cantem companys, cantem tots junts,
que el vespre és curt i el dia arriba.
Cantem ben alt, cantem ben fort,
que el cant és goig pel cor que estima.

Cantem l'amor que portem dins,
fem-lo arribar dalt la finestra;
fem-lo arribar als llavis vermells,
fem-lo vessar tot aquest vespre.

Cantem i vetllem,
Que ja dormirem quan morirem.

Que cada veu sia un petó
i cada crit una abraçada;
que el cant ens porti prop dels ulls,
dels ulls serens de l'estimada.

Que tot cantant li puguem dir
lo que parlant no sabem dir-li:

los discursos del delegado del Consejo de Ancianos y, como culminación, del Presidente, quien utiliza un lenguaje casi ininteligible,
de palabras alteradas; ejemplo extremo de demagogia, que recuerda
espectáculos dadaístas[77] y los cantos finales de *Altazor* de Huidobro.
Doy un pequeño fragmento:

> JUAN DE JUANES. –Señores y conciudadanos: La patria en solemífa-
> dos momentos me elijusna para directar sus destídalos y salvantiscar sus
> princimientos y legicipios sacropanzos [...]. (127)

En medio de los discursos, interrumpiéndolos, se oyen por primera vez
"Voces" anónimas reclamando "Pan y trabajo", las cuales se repetirán
de manera insistente hasta el final de la obra. En el primer Consejo de
Ministros, el Presidente presenta sus cargos, cuyos títulos constituyen
humorísticamente la antítesis de lo que debería de ser cada Ministerio
y entre los cuales sobresale el "Ministro de Finanzas Inseguras". El
Consejo se ve interrumpido por el apresamiento de un "Colectivista",
que porta *"una bandera azul con un gran arco iris rojo"*[78] y de quien se dice:
"Estos son los que predican que el trabajo debe hacerse en común y que
todo el mundo debe trabajar" (132), lo que califican todos de locura. Éste
será el primero de los "complots" contra la estabilidad del Gobierno, al
que seguirá la conspiración abortada de los otros candidatos.

El Acto II se inicia en un bar con varios personajes que tratan del
comercio carnal, hasta que se produce otra intervención de la música:
*"Se oye la música de un fox-trot, o bien entra un ciego con un acordeón y canta
con la música de la 'Ópera de cuatro centavos' , la siguiente canción"*:

> Habéis hecho de la vida
> Un paisaje de dolor.
> Un desierto de fantasmas

---

que l'estimem fins a la mort,
que la volem, vingui el que vingui.

Cantem i vetllem,
que ja dormirem quan morirem.

[77] Por ejemplo, Henri Béhar: *Sobre teatro Dadá y Surrealista.*

[78] Aunque he hecho algunas pesquisas, desconozco si la enseña es real o es inven-
ción de Huidobro; en este último caso, el arco iris rojo podría simbolizar la esperanza
política que asoma tras la tempestad / oscuridad, véase Neglia, op. cit.

Donde se espanta el amor.
Rueda el mundo con sus hombres
Y sus farsas de guiñol,
Su injusticia, sus miserias;
Nada es nuevo bajo el sol.

A Huidobro le importa tanto este pasaje, que la edición original de *En la luna* lleva su partitura como apéndice. La crítica recuerda siempre aquí el estreno de *La ópera de perra gorda* de Bertolt Brecht, en 1928, adaptación de *La ópera del bandido*, del dramaturgo inglés John Gay, con música de Kurt Weill; olvidan, en cambio, su versión cinematográfica por Georg W. Pabst, titulada en francés *L'opera de quat'sous*, de 1931, en la que Antonin Artaud hizo de aprendiz de mendigo[79]. Tras este primer Cuadro, volvemos a la sala del Consejo de Ministros, donde el Ministro de Finanzas propone la ingeniosa idea de que, para que "corra" el dinero, todos se convertirán en mendigos. A continuación tiene lugar el primer Golpe de Estado contra el gobierno, protagonizado por el Ejército, primero de Tierra, luego la Marina, finalmente, ambas fuerzas unidas. El Acto termina con la imagen del escenario descrito como *"un gran practicable, dividido en cuatro cuartos iguales"*, donde estarán reunidos sendos grupos de conspiradores, cuyas voces se van alternando, mientras *"se enciende una ampolleta roja en el cuarto correspondiente"* (157).

El Acto III reanuda la acción con los militares reunidos en la sala del Consejo de Ministros. Dan órdenes descabelladas, calificando al pueblo de "carneros", "corderos", "ovejas" (162) y se produce un nuevo Golpe de Estado, ésta vez de los Bomberos, al que seguirán, atropelladamente, otros de los Dentistas, las Dactilógrafas y los Sastres. En esta última sublevación, su jefe, Permanganato, libera a su amigo el Hipnotizador de la cárcel, nombrándolo Gran Visir, y cambia el sistema de gobierno autoproclamándose Rey. Cuando tiene lugar otra sublevación, esta vez de los Cojos y los Relojeros reunidos, el Hipnotizador la controla con su poder, sugestionando a la vez al Rey, al que sustituye. El Hipnotizador cambia su nombre por el de Rey Nadir y convierte a la "cocota"[80] Fifí en la Reina Zenit; me referiré posteriormente al carácter cósmico de la farsa, que permite asociarla a *Gilles de Raiz*. Al finalizar el Acto III se escucha fuera

---

[79] Véase, por ejemplo, Edmond Orts: *El Cine. Diccionario Mundial de Directores del cine sonoro*, t. III; Christian Aguilera y Núria Dias: *Los directores de cine del siglo xx*: 430-432.

[80] El galicismo, de *coquette*, designa a las jóvenes de vida alegre parisinas.

la sublevación de los Colectivistas, cuyo desenlace queda en suspenso hasta el siguiente Acto.

El último Acto (IV) empieza dentro de un Templo, con la descripción de *"una especie de altar"*, donde el Rey y su corte rinden culto a *"el Archisol de los lunenses, que es una especie de gran medalla amarilla con el signo $ al centro"* (177), clara imagen del Capitalismo. Nótese, nuevamente, cómo esta escena idolátrica guarda parecido con el culto diabólico de *Gilles de Raiz*. A continuación, en el siguiente Cuadro, vemos reunidos en una habitación, conspirando, a cinco estudiantes, a un periodista –cuyo carácter acomodaticio se deplora- y a un obrero. Entre los estudiantes destacan Cirio y, sobre todo, Vatio, el cual afirma "Yo soy un poeta y el poeta es profeta" (189), abraza simbólicamente al obrero y vaticina un mundo nuevo donde todos trabajarán. Volviendo al grupo en el gobierno, se presenta ahora una Fiesta en palacio que se celebra con un teatro de guiñol, cuyas figuras reproducen el comportamiento de los espectadores, los monarcas lunenses, hasta que se suspende la función por las voces de los "miserables" (202; recuérdese a Victor Hugo), que produce la huida de los Reyes.

El último Cuadro del Acto, con el que acaba la obra, se titula "APO-TEOSIS DEL TRIUNFO DE LOS COLECTIVISTAS". En él la acotación describe un vergel, donde destaca por segunda vez *"una gran tela azul con un arco iris rojo al medio"* y grupos de actores que bailan la sardana larga "La santa espina", que *"Se debe tocar íntegramente"*. La misma acotación añade:

> Al lado izquierdo y más hacia el primer término de la escena, un personaje ves-tido de colores fuertes da vuelta a un manubrio, que va desenrollando lentamente una tela dividida en tres cuadros, que representan el trabajo socializado. Una gran fábrica. La ciudad futura y un inmenso dique para fuerza eléctrica, a través de un río caudaloso.

"La santa espina", con letra de Àngel Guimerà, dramaturgo destacado de la Renaixença, y música de Enric Morera[81], es una de las sardanas más

---

[81] Miracle, op.cit.: 194-195, la recoge asimismo dentro de las sardanas llevadas a los escenarios; reproduzco su letra:

Som i serem gent catalana
tant si es vol com si no es vol,

famosas en el catalanismo; cabe resumir su significación política en los años previos a la Guerra Civil española: La sardana, en general, así como la lengua y bandera catalanas, habían sido prohibidas en 1923, bajo la dictadura de Primo de Rivera, con el ánimo de frenar los sentimientos nacionalistas. El valor de estas señas de identidad se modificará principalmente a partir de 1930, cuando se produce la alianza entre los nacionalistas catalanes y los republicanos y la formación de Esquerra Republicana de Catalunya. El triunfo de los partidos republicano-socialistas en las elecciones municipales del 31, condujo primero a la proclamación de la República Catalana por Companys, izando la bandera tricolor en el balcón del Ayuntamiento de Barcelona, para convertirse días después, con Macià, en el poder regional que adopta el nombre de Generalitat. Fracasada la insurrección anarquista de l'Alt Llobregat, en enero de 1932, se llegará a la crisis del sistema autonómico catalán en 1934, fecha que coincide con el año de publicación de la farsa[82]. Es, pues, de suponer, que este final de exaltación catalanista, fuese un homenaje de Huidobro a esa región española, a la par que al triunfo de las ideas de izquierda, en un período de tiempo que puede ir de 1930 a 1934, antes de que los dos bandos de la Guerra se enfrascasen en una lucha fratricida.

Esta clara intencionalidad política de la obra remite a Meyerhold, Piscator, Brecht y aproxima a Huidobro a los chilenos Antonio Acevedo

---

que no hi ha terra amb més ufana
sota la capa del sol.

Déu va passar-hi en primavera,
i tot cantava al seu pas.
Canta la Terra encara entera,
i canta que cantaràs.

Canta l'ocell, el riu, la planta,
canten la lluna i el sol.
Tot treballant la dona canta,
i canta al peu del bressol.

I canta a dintre de la terra
lo passat jamai passat,
i jorns i nits, de serra en serra,
com tot canta al Montserrat.

[82] Tomo estos datos de Albert Balcells: *Història del nacionalisme català*, véase la bibliografía.

Hernández, al citado Emilio Recabarren y, en general, al auge del teatro social chileno de esos años, como vía para el cambio[83]. Lo interesante de la obra no es, sin embargo, su mensaje político, pues otros dramas coetáneos que lo poseen apenas trascienden, sino la efectividad con que Huidobro ofrece estas ideas: causa impacto con un humor grotesco que pretende golpear la conciencia dormida de los espectadores.

Por las indicaciones escénicas, se aprecia que Huidobro escribe *En la luna* pensando en el interior de un teatro, con medios técnicos suficientes para el ágil cambio de decorados en los Cuadros, destinando la caída del telón a las pausas mayores entre Actos. Las acotaciones indican con precisión movimientos y gestos de los actores, revelando que se trata de una obra muy controlada, donde el autor deja poco al azar.

Uno de los aspectos más llamativos de *En la luna*, y que por ello suele ser comentado, es el empleo de prácticas metadramáticas[84]. La trama a la que acabo de referirme se enmarca como un "teatro en el teatro", que a su vez incluye otro teatrillo, en el último Acto. En el inicio de la farsa se exige: *"Al levantarse el telón, la escena representa la puerta de un teatro"* y nuestro anfitrión, Maese López, *"como un manager de feria"*, nos invita a ver su trabajo de "gran mostrador de maravillas", "con su tinglado o guiñol o retablo o como queráis llamarlo" (113); homenaje, sin duda, a los pasajes de Maese Pedro, el titiritero, en la segunda parte de *El Quijote* y a *El retablo de las maravillas* de Cervantes, que sigue también la tendencia del gusto por el teatro de títeres o la inspiración en ellos de otros autores de vanguardia. Emilio Javier Peral Vega, en su libro *Formas del teatro breve español en el siglo xx (1892-1939)*, trata del auge del teatro de títeres en la España de la época, refiriéndose a la puesta en escena de ese entremés cervantino y a las abundantes obras inspiradas en este tipo de teatro; recordemos, a modo de ejemplo, *El retablo de Maese Pedro*, composición musical de Manuel de Falla, con libreto de Gregorio Martínez Sierra, estrenada en Sevilla, en 1923, y presentada en París, en el palacio de la Princesa de Polignac en el mismo año, o la importancia de los títeres para autores tan relevantes como Ramón del Valle-Inclán o Federico García Lorca[85].

---

[83] Remito nuevamente a Orlando Rodríguez: *El teatro chileno entre 1900 y 1940*.

[84] Por ejemplo, Adolfo de Nordenflycht y Saldes.

[85] Véase en la bibliografía del capítulo introductorio, particularmente este libro y el monográfico de *Puck* sobre *La Vanguardia y los títeres*. Peral Vega dedica, significativamente, la 2ª y 3ª Parte de su libro a "Nuevos retablos de las maravillas" y "El entremés clásico y su proyección en la escena moderna".

El discurso de Maese López, en la pieza de Huidobro, supone un primer nivel metadramático, localizado ya "en la luna", e insiste irónicamente en la verdad de las mentiras artísticas, como diría Vargas Llosa:

> Ahora os traigo una pieza de teatro verdadera, es decir, de mi pura fantasía. Veréis algo que no ha pasado nunca en ninguna parte, ni pasará jamás en parte alguna. Y los que digan que esto ha pasado o podría pasar en nuestro planeta, mienten y me calumnian a mí y calumnian a nuestra Luna. Por lo tanto, cuando estéis viendo lo que veréis, no olvidéis un momento que no estáis viendo lo que veis. Admirad sólo la ejecución de los muñecos y los títeres de mi guiñol, fabricados con tal perfección que parecen seres vivos y más que vivos. (114)

En el Cuadro II, a partir del cual entramos de lleno en el asunto político de la obra, *"Maese López sale algo cambiado, de Vocero, leyendo en un cartón"* (115) junto a Colorín Colorado, cuyo papel es mínimo, más otros personajes. La pareja enmarca la farsa, al reaparecer al final diciendo:

> MAESE LÓPEZ. –Por favor, Colorín Colorado, córtame la inspiración. Deténme a esos muñecos, que son capaces de seguir un año entero. Mátame esta pieza.
> COLORÍN COLORADO. –Y para eso tanto grito. (*Saca una pistola del bolsillo.*)
> MAESE LÓPEZ. –Por favor, Colorín Colorado.
> COLORÍN COLORADO. (*Levantando el revólver y disparando al aire.*) –Este cuento se ha acabado.

El recurso del "teatro en el teatro" reaparece en el Acto IV, cuando la Reina Zenit y el Rey Nadir contemplan a su vez *"un pequeño teatro o guiñol"*, con una pieza que se sitúa "En la Tierra" (mundo al revés), en la que intervienen el Rey Nortesur III, la Reina Hidraulia y el Chambelán, mostrando una actitud despótica, que reproduce las acciones de sus reales espectadores; la duplicidad de acciones se subraya al sacar el Recitador del nivel superior *un espejo* diciendo: "¡Oh espejo de virtudes! Contemplad vuestras acciones en este espejo" (194). Tanto la pieza del pequeño guiñol como la obra del nivel superior se interrumpen por la sublevación popular.

En el pequeño guiñol los personajes *pasan primero recortados en cartón y colgando de un alambre"* (192), se deslizan por el alambre, *"El Rey va vestido como un rey de naipe, lleva gran espada al cinto y tiene escrito en la orla de su ropa, por delante, BUENOS DÍAS, y por detrás, HASTA LUEGO."* (193).

Este teatro de cartón o papel, en su simplicidad abstracta, recuerda el teatro de sombras oriental que tanto influiría en la vanguardia, así como la experimentación con títeres de los grandes innovadores.

Es en este Acto IV en el que Huidobro muestra claramente su deuda con Alfred Jarry, a la que se han referido, reclamando una mayor atención, otros críticos[86]. De *Todo Ubu* o *Ubu completo*[87] parecen haber influido en Huidobro, en primer lugar, la primera versión completa de *Ubu Rey*, en cinco Actos, de la que hay una publicación en París, 1921, y la versión abreviada en dos Actos o *Ubu en el disparadero*, publicada por primera vez en 1906, también en París. Esta última subraya la ruptura de la ilusión escénica, con el diálogo entre el personaje Guiñol y el Director.

Como se sabe, Alfred Jarry concibió inicialmente *Ubu Rey* como un guiñol, para ser representado por marionetas, conservándose grotescos dibujos suyos para las mismas. Tras una primera representación de marionetas y su publicación en fragmentos, la primera publicación íntegra de *Ubu Rey* tuvo lugar en las ediciones del *Mercure de France*, en 1896. Ese mismo año tuvo lugar su primera representación con actores, en el Théâtre de L'Oeuvre, dirigido por Lugné-Poe, la cual causó una gran conmoción en la sociedad parisina, siendo comparada por ello con la representación de *Hernani*, de Victor Hugo, en 1830. Béhar (1971: 34) menciona que Lugné-Poe volvió a representar *Ubu Rey* en París, en 1922, y que, pese a ser mal acogido en general, no rebajó el entusiasmo por la pieza de Breton y sus amigos, hasta el punto de utilizar el nombre de su autor para bautizar el grupo teatral de Antonin Artaud, Roger Vitrac y Robert Aron, en 1926.

Al margen de que Huidobro pudiera haber visto representada la obra de modo íntegro o parcial, sin duda utilizó la edición de Alfred Jarry: *Ubu Roi*, Drame en Cinq Actes d'après les éditions publiées du vivant de l'auteur et les documents icono-biobibliographiques qui s'y rapportent, Préface de Jean Saltas, Paris, Librairie CHARPENTIER et FASQUELLE, 1921, que incluye algunos dibujos de Jarry y que se halla en la biblioteca del chileno[88]. Esta edición recoge también una "Carta de Jarry a M.

---

[86] Por ejemplo, Erminio Neglia. Vicky Unruh dedicaba un apartado de su *Latin American Vanguards. The Art of Contentious Encounters* (véase el primer capítulo) a *En la luna*, señalando su deuda con el *Ubu Rey* de Jarry.

[87] Véase la bibliografía del capítulo.

[88] Véase *Salle XIV. Vicente Huidobro y las artes plásticas*, Catálogo de Exposición: 146. He podido manejar la edición citada de Jarry en la Biblioteca Nacional de Madrid.

Lugné-Poé" (15-17), donde explica el primero cómo imagina la representación de su *Ubu*; lo que hace evocar la "ADVERTENCIA" de Huidobro "Al actor y al escenólogo" de *En la luna*, aunque los contenidos de ambas difieran parcialmente. En su Carta, Jarry expresa su voluntad de "faire un 'guignol' ", que carezca de signos que indiquen lugar o tiempo, con "l'idée d'une chose éternelle", "moderne, de préférence, puisque la satire est moderne; et sordide". Se suprimen las multitudes, que Jarry sustituye en la escena de la rebelión por un solo soldado; Huidobro hará repetir a los actores en escena y la rebelión popular será representada por las voces que se oyen. Para el personaje de Ubu, Jarry requiere una máscara, una cabeza de caballo de cartón colgada al cuello, como en el antiguo teatro inglés, y la adopción de un "accent" o modo especial de hablar; los déspotas de Huidobro multiplican la ridiculez de Ubu, siendo variados como conviene al asunto de la obra; el modo especial de hablar queda patente en el Discurso demagógico del Presidente, en el Acto I.

Los guiños de complicidad que hace Huidobro a sus espectadores en el Acto IV de *En la luna*, para que reconozcamos al Padre Ubu en ella, son numerosos, especialmente en el teatrillo que contemplan los lunenses durante la fiesta palaciega: En la pieza "En la Tierra" actúan tres personajes, el Rey, la Reina y Chambelán, que se corresponden con el trío principal de *Ubu Rey*: Padre Ubu, Madre Ubu y el Capitán Bordure. Hay una vaguedad de ubicación, tanto de lo que sucede "En la Tierra" como "En la Luna", lo cual guarda analogía con la localización en Polonia (vale decir para Jarry en un lugar indeterminado) de *Ubu Rey*. "En la Tierra", el Rey Nortesur III afirma sin ambages:

> Soy el nieto de mi abuelo, mi abuelo Ubu Magno, el inolvidable Rey Ubu, que por un pequeño defecto de la lengua gritaba: "¡Miedra!", cuando tenía que usar ciertas palabras substanciales y substanciosas. Mi abuelo poseía el don de las finanzas y supo enriquecerse. Tenía una cabeza de financista sin igual, tenía nariz de financista, tenía hígado de financista, tenía zapatos de financista, tenía riñones de financista, tenía guantes de financista. ¡Tatarántulas! Yo seguiré sus pasos. Mi pueblo me adora, mi pueblo me idolatra. (193)

Las obras de Jarry y Huidobro atacan los valores burgueses; en ambas el Ministro de Finanzas ocupa un lugar preeminente. Nortesur manda a su pueblo a morir a la guerra, como Ubu al promover sus batallas, guiado por su ambición de dictador burlesco. La pareja Padre Ubu-

Madre Ubu, con su cuerpos orondos, parodia de los protagonistas de *Macbeth* de Shakespeare, se refleja en Nortesur e Hidraulia, cuando dice el primero:

> NORTESUR III. –Mi excelso rostro está hoy disgustado, Mamajestad [...] Reina Hidraulia, tenéis miedo al agua. También debo deciros que vuestra Mamajestad ha engordado como una vaca. (195)

Nortesur sospecha que Hidraulia lo engaña, como Ubu; etc. El Recitador que introduce el teatrillo de guiñol "En la Tierra", haciendo las veces de Maese López del nivel superior, reconoce abiertamente: "No quiero ser acusado de canibalismo" (197). Incluso el oso que en *Ubu Rey* acompaña al Zar de Rusia, al ser Ubu derrotado, es visto por Hidraulia como señal de una muerte inminente, cuando se escucha la sublevación (199). Llegado el pueblo frente a la doble pareja de monarcas de la farsa del chileno, Nortesur morirá gritando "¡Tatarántulas! ¡Miedra!" (201), mientras que Zenit y Nadir saldrán huyendo como Ubu. "La canción del descerebraje", culminación de *Ubu Rey*, cumple una función similar a los momentos musicales de *En la luna*, aunque puedan ser serios.

En este paralelo, he dejado para último lugar el humor "patafísico" o absurdo de Jarry, con el que entronca Huidobro. Sergio Saldes, en su excelente artículo "Función ideológica y función poética. El juego de los espejos en *En la luna* de Vicente Huidobro" (1987:108-115) analiza detalladamente los procedimientos humorísticos que emplea el autor. Resumo: 1. "La Parodia", en un humor de situaciones y lingüístico. Dentro del humor lingüístico destacan los nombres de los personajes, que clasifica en "a) Personajes nominados con términos que se relacionan con su profesión: Almirante Estribor, Grifoto (un bombero), Señorita Remington (una dactilógrafa), Don Péndulo (un relojero). b) Personajes nominados con términos que apuntan a características físicas o intelectuales de su persona: Don Cojín (un cojo), Capitán Poliedro [...] (los nombres de militares se relacionan con las matemáticas [...], se alude así a la rigidez con que se suele identificar al ejército). c) Nombres originados en paranomasias; en esta categoría distinguimos dos clases: -aquellos surgidos de patronímicos: Fernando Fernández, Enrique Enríquez, Álvaro Alvarado. –aquellos que conllevan una connotación determinada (vulgaridad, banalidad, obesidad, etc.): Fifí Fofó, Pipí Popó, Memé Mumú, Zizí Zozó" (112) 2. "El mundo al revés". 3. Otros procedimientos lingüísticos: a) Redundancia, b) Paranomasia. c) Duplicación de sílabas. d) Degradación de formas lingüísticas de respeto o jerarquía ("Excipiencia"). e) Intensificación calificativa (Saldes pone de ejemplo la Oda a la mujer burlesca que hace el Almirante Estribor en sus intervenciones galantes). f) El "humour", según Bergson, ligado al mundo al revés, que consiste en describir "...minuciosa y meticulosamente lo que es, fingiendo creer que es eso lo que las cosas deberían ser", como por ejemplo "Ministerio del Exterior Agresivo" o "Ministerio de la Instrucción Nula". g) Interferencia de dos sistemas de ideas en una misma frase: por ejemplo, GENERAL SOTAVENTO: "Soy un guerrero aguerrido; he leído la historia de dos mil cuatrocientos treinta y siete guerras".

El tema de la crítica a las dictaduras latinoamericanas aprovechando su vertiente esperpéntica, permite asociar también *En la luna* a novelas de dictadores que hacen gala de dominio lingüístico, como *Tirano Banderas*, de Valle Inclán, y sobre todo, *El Señor Presidente*, de Miguel Ángel Asturias, otro de los grandes escritores hispanoamericanos influidos por el Surrealismo que se halla por esos años en París. La lista de *dramatis personae*, con los citados nombres burlescos, el tópico del mundo al revés meticulosamente proyectado y algunas situaciones, como la de la mendicidad estatalmente instituida, hacen evocar inmediatamente la gran novela del guatemalteco, cuya primera redacción es contemporánea a esta pieza dramática[89].

Revisando los dramaturgos europeos de la época, y al margen de las posibles influencias, para poner de relieve nuevamente hasta qué punto Huidobro coincide con lo que hacen en Europa los dramaturgos más avanzados, cabe mencionar otra vez a Michel de Ghelderode. En *Le Sommeil de la Raison* (*El Sueño de la Razón*), de 1930, "Obra en tres actos, un prólogo y un epílogo"[90], cuyo título haría las delicias de nuestro chileno, el escritor belga coincide con Huidobro en varios aspectos: la obra se presenta también enmarcada como "teatro en el teatro", con el diálogo entre un payaso y un feriante, que tratan de un espectáculo producido por autómatas, núcleo central de la pieza. Tanto el payaso como el feriante repiten papeles, simultaneando como bailarín y barman. Los supuestos muñecos de la barraca de feria, en Ghelderode,

---

[89] Véase la bibliografía del capítulo dedicado a Asturias.
[90] Cito por la edición en la bibliografía.

que representan en su mayoría los siete pecados capitales, cobran vida
a través de actores; entre ellos sobresale La Lujuria, cuya actuación
equivale a la de las "cocotas" Fifí Fofó, Lulú Lalá, Memé Mumú, etc,
de la farsa del chileno. Aquí tenemos también un juego de espejos o
de muñecas rusas teatrales, pues en el bar del Acto II, que se supone
forma parte del espectáculo/sueño de los autómatas, aparece también
un teatro de marionetas que duplica a menor escala personajes del
nivel anterior. El auto antirreligioso de Ghelderode está conducido
asimismo por un humor grotesco y se intercalan melodías. Ghelderode
saca incluso a escena a un personaje disparando un revólver, para
interrumpir la acción:

> L'HOMME, [...] Ce rêve est insoutenable... Il faut que je me réveille.
> J'étais entré dans une baraque... Il faut que je me tue... Quelqu'un... Quelque
> chose... pour être délivré... délivré... (*Il sort un revolver.*) Que je tue... pour
> me réveiller... (*il avise l'automate.*) Vous ? (*Il rit.*) [...] Voici pour vous! (*il tire
> un coup de revolver dans la carcasse de l'homme et celui-ci se met à danser gro-
> tesquement, sauterie obsédante sur les rythmes qui reprennent, barbaresquement.*)
> Assez!... assez!... Ce rêve!... M'éveiller!... Tuer le cauchemar... le cauchemar!
> (*Il s'enfuit éperdu, tirant des coups de feu au hasard*). (310)

> EL HOMBRE, [...] Este sueño es insostenible. Es preciso que me des-
> pierte. Yo había entrado en una barraca.... Es preciso que me cargue... a
> alguien... algo... para ser liberado... liberado... (*Saca un revólver.*) Que mate...
> para despertarme... (*Percibe al autómata.*) ¿Tú? (*Ríe.*) [...] Toma, para ti (*Dispara
> un tiro contra la carcasa del hombre y éste se pone a bailar grotescamente, con saltos
> obsesivos sobre los ritmos que de nuevo suenan bárbaramente.*) Basta, basta.... Este
> sueño... Despertarme... Matar la pesadilla.... ¡la pesadilla! (*Huye, como loco,
> disparando sin apuntar*). (311)

En Huidobro y Ghelderode son confusos los límites entre la realidad
y la ilusión escénica. Saldes (1987: 108) comenta la incoherencia de la
apoteosis colectivista de Huidobro, que, si se produce "en la Luna" o "en
la Tierra", debiera ser tan ficticia como el resto de la farsa. En el epílogo
de *El Sueño de la Razón*, el Hombre despierta creyéndose en el infierno;
el payaso le dice, en cambio, que tuvo una pesadilla, pero la incógnita
permanece, puesto que el payaso añade, con un tono ambiguo, que el
feriante ha muerto. Aunque se produzca cierta incoherencia, la modernidad de ambos autores es notable, y por ello sirven de inspiración a
grupos experimentales posteriores. La farsa del chileno no se llegará a

estrenar hasta 1965, en Santiago de Chile, varias décadas después de su escritura y tras el fallecimiento de su autor[91].

Una última cuestión de *En la luna* que me falta comentar es su carácter simbólico cósmico, aspecto que permite asociarla a *Gilles de Raiz*, siendo obras a simple vista tan dispares. Recordemos que el Astrónomo del Acto I (Cuadro II) contempla con su telescopio la posición de los astros y pretende guiar la conducta del primer Presidente (124). Copio párrafos de las agudas observaciones de Neglia (1985) al respecto:

> Examinemos ahora el diseño de la pieza. Creemos que Huidobro la concibió geométricamente en dos sistemas esféricos: el sistema planetario y el político-social, cada uno con su propio centro, sus órbitas y sus revoluciones. Las alusiones al sistema planetario se encuentran en el título de la obra, en la presencia de un astrónomo, en los nombres de algunos personajes (Zenit, Nadir, Astra) y en la reflexión de los rayos del sol (el arco iris en la tela azul en el último cuadro de la obra).
>
> Además de acentuar lo grotesco de la pieza, la analogía entre los dos sistemas desempeña un papel estructural importante, convergiendo en la revolución en la escena final. La revolución de los astros alrededor del sol corresponde a la revolución en la sociedad en torno al todopoderoso Dinero-Poder Político. Por lo tanto, se destaca el doble significado con que Huidobro usa la idea de la "revolución". Al final de la obra deja de significar movimiento giratorio para cobrar el nuevo sentido de cambio violento y radical del sistema social.
>
> Igualmente, el autor aprovecha los matices del concepto del "eclipse" haciendo coincidir el anonadamiento de los viejos sistemas sociales con el fenómeno planetario del eclipse solar, que en tiempos remotos algunos pueblos primitivos interpretaban como la muerte del sol devorado por una fiera. (49-50)

Neglia recuerda lo que dice la voz anónima que remata el levantamiento popular al final de la farsa:

> Bastaría una noche para limpiar el mundo de injusticia, de parásitos, de pulpos y de vampiros. Bastaría una noche para limpiar el mundo de su podredumbre... *Y el sol del día siguiente iluminaría la gran sonrisa de un mundo nuevo, de un paisaje recién nacido.* (202)[92]

---

[91] Véase la edición por la que cito: 206.
[92] Neglia subraya esta frase.

Abundando en estas ideas, hay que destacar que los nombres dados a los monarcas Fifí Fofó (Zenit) y El Hipnotizador (Nadir), se asimilan espacialmente a Sol y Luna, en una teoría simbólica[93]. Por supuesto, aquí cabe también aplicar el simbolismo de la Masonería, como institución dispuesta a instaurar un nuevo orden. Si entendemos la sublevación del pueblo como una nueva era, un despertar, un salir a la luz tras la oscuridad de los tiempos, el Hipnotizador / Visir /Rey Nadir, al que libera su amigo el sastre Permanganato de la cárcel para convertirse en su víctima, siendo hipnotizado y sustituido por él como monarca, actúa como un adormecedor de las conciencias, opio del pueblo. Haciendo Huidobro una burla del ojo surrealista, todos los partidarios del Hipnotizador "llevarán como distintivo un huevo duro en el sombrero" (175). En la idolátrica adoración del dinero con que empieza el Acto IV, los sacerdotes reclaman "un milagro" que enfervorice al pueblo y solicitan "una ley contra el espíritu crítico" (181), sosteniendo que "Hay que hacer fusilar a todos esos malvados que quieren despertar al pueblo". El Hipnotizador está ligado a otras figuras del mundo literario de Huidobro, como el Conde Cagliostro, también célebre hipnotizador, quien utiliza sus poderes en beneficio propio[94]. Tras el Cuadro anterior, en que se habla de una voluntad de mantener dormido al pueblo, a oscuras, en el siguiente los estudiantes Cirio y Vatio "iluminan" con sus apreciaciones el mundo y el obrero declara que es "el hombre nuevo" (188). Por último, se produce la sublevación popular y la Apoteosis de los colectivistas.

En estas páginas he intentado explicar las líneas principales que sigue Huidobro para construir *En la luna*, pero, al igual que sucedía con su tragedia sobre el Mariscal de Francia, la densidad de contenidos hace que, aun leyendo la obra con detenimiento, uno tenga la sensación de que se le escapan ideas, de que lo que quiere decir Huidobro sobrepasa nuestra capacidad de asimilación; lo cual, en una obra destinada al teatro, puede empujar al espectador a la reflexión o llegar a impacientarlo. Este problema de la prodigalidad o "hipertrofia" de signos teatrales se señala en algunos estudios[95]. Sin embargo, el núcleo central de la farsa

---

[93] Véase Cirlot 1997.

[94] María Ángeles Pérez López (1998: 86-87) dice haber consultado en la Fundación Vicente Huidobro su manuscrito *Conferencia sobre el hipnotismo y la sugestión*, donde el chileno diserta sobre estos fenómenos desde el punto de vista científico.

[95] Véase, por ejemplo, María del Carmen Bobes Naves (ed.): *Teoría del teatro*, en la bibliografía del capítulo introductorio.

que critica las democracias débiles que propician los golpes de Estado sigue estando, por desgracia, vigente, y puede dar cabida a versiones actualizadas en los escenarios.

En 1937 Huidobro asiste en España al Congreso de Escritores Anti-fascistas de Valencia, en apoyo del bando republicano. Cuando estalla la Segunda Guerra Mundial se enrola como corresponsal de los Aliados, recibiendo una herida de bala en la cabeza, que le ocasionará la muerte, poco después, en Chile, en 1948. Hay quien le atribuye el raro privilegio de haber sido uno de los pocos hombres de habla hispana que entraron con las tropas vencedoras en Berlín, en 1944[96]. Es a raíz de estos hechos cuando escribe su última obra de teatro: *Deucalión*[97], leída públicamente por Pierre Darmangeat tras la liberación de París, en 1945. La obra se ha perdido o aún no ha sido recuperada. Como observa René de Costa (1984: 160), es de suponer que su título aludiría al personaje mitológico griego, que protagoniza una versión clásica de la historia bíblica de Noé y el diluvio universal. Es fácil comprender su valor simbólico, todavía humeantes las cenizas de la guerra, con un mensaje de esperanza hacia el futuro.

---

[96] Según Corvalán (1967: 100), fue el único oficial de esta lengua que se encontró allí.

[97] El escritor peruano Alberto Guillén tiene una colección poética titulada igual, cuya primera edición apareció en Lima, 1920; la segunda en Madrid, Nosotros, 1921. No obstante, no he advertido que sus poemas simbólicos guardaran relación con Huidobro. Si Huidobro no conoció a Guillén, al menos debió de oír hablar de él, pues causaron gran revuelo en España sus semblanzas de escritores, publicadas con el título de *La linterna de Diógenes*, en 1921; se ha reimpreso recientemente en Madrid: Ave del Paraíso, 2001.

Ilustraciones de Joseph Sima para la primera edición de *Gilles de Raiz*, Paris: Éditions Totem, 1932.

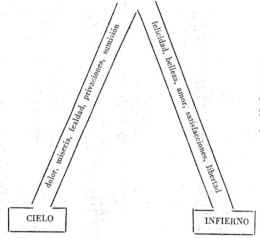

LOS DOS CAMINOS

He aquí cómo la estupidez de los hombres ha imaginado el bien y el mal, el camino que lleva al cielo y el que lleva al infierno.

"LOS DOS CAMINOS", en *Vientos contrarios, Obras completas* de Huidobro, Santiago de Chile: Zig-Zag, t. I, p. 724.

Esta esperanza futura es una venganza de los desgraciados. Se vengan en ultratumba.

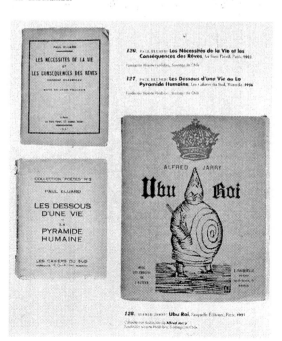

Portada de *Ubu Roi*, edición de París: Fasquelle Éditeurs, 1921, en el inventario de la biblioteca de Huidobro; Fundación Vicente Huidobro, Santiago de Chile. Tomada de *Salle XIV. Vicente Huidobro y las artes plásticas*, Catálogo de Exposición.

"Atributos simbólicos", *Diccionario Enciclopédico de la Masonería*, t. III, Barcelona, 1891.

Bibliografía

1. Obras de Vicente Huidobro

— (1932) : *Gilles de Raiz. Pièce en quatre actes et un épilogue.* Avec un portrait de l'auteur par Pablo Picasso et deux dessins de Joseph Sima. Paris : Éditions Totem, Librairie José Corti.

— (1934): *En la luna. Pequeño guiñol en cuatro actos y trece cuadros.* Santiago de Chile: Editorial Ercilla.

— (1995): *Gilles de Raiz. En la luna (Teatro completo).* Santiago de Chile: Editorial Universitaria. Colección Vicente Huidobro. Con una "Nota sobre *Gilles de Raiz*" por Federico Schopf.

— (1976): *Obras completas.* 2 vols. Prólogo de Hugo Montes. Santiago: Editorial Andrés Bello.

— (1964): *Obras completas.* 2 vols. Prólogo de Braulio Arenas. Santiago de Chile: Zig-Zag.

— (2003): *Obra poética.* Edición crítica, Cedomil Goiç Coordinador. Paris: Archivos. Con una extensa "Bibliografía" comentada por Goiç.

— (1996): *Poesía y poética (1911-1948).* Antología comentada por René de Costa. Madrid: Alianza.

— (1981): *Altazor. Temblor de cielo.* Edición de René de Costa. Madrid: Cátedra. "Letras Hispánicas" 133.

— (1993): *Cagliostro.* Introducción de René de Costa. Madrid: Anaya & Mario Muchnik.

— (1993): *Textos inéditos y dispersos.* Recopilación, selección e introducción José Alberto de la Fuente A. Santiago de Chile: Dirección de Bibliotecas, Archivos y Museos, Centro de Investigaciones Diego Barros Arana.

2. Bibliografía sobre Vicente Huidobro (general)

Bary, David (1984): *Nuevos estudios sobre Huidobro y Larrea.* Valencia: Pre-textos.

Corvalán, Octavio (1967): "Huidobro, el satánico". En su *Modernismo y Vanguardia. Coordenadas de la literatura hispanoamericana del siglo xx,* New York: Las Americas Publishing Co., pp. 95-105.

Costa, René de (1984): *Huidobro. Los oficios de un poeta.* Traducción de Guillermo Sheridan. México: F.C.E.

— (ed.) (1975): *Vicente Huidobro y el creacionismo.* Madrid: Taurus.

Cuadernos Hispanoamericanos, Los complementarios, n° 12, dic. 1993, monográfico dedicado a Huidobro en el centenario de su nacimiento.

HAHN, Óscar (1994): "Vicente Huidobro: del reino mecánico al apocalipsis". En: *Revista Iberoamericana*, Número especial dedicado a la Literatura Chilena del Siglo XX dirigido por Óscar Hahn, LX, Julio-Diciembre, Núms. 168-169, pp. 723-730.

HEY, Nicholas: "Bibliografía de y sobre Vicente Huidobro", *Revista Iberoamericana*, University of Pittsburgh, XLI, 91, abril-junio 1975, pp. 293-353; puesta al día en su "Adenda...", ibid., XLV, 106-107, enero-junio 1979, pp. 387-398.

MONTES, Hugo (1981): "Altazor a la luz de lo religioso". En: *Revista Chilena de Literatura* 18, noviembre, pp. 35-46.

PÉREZ LÓPEZ, M. Ángeles (1998): *Los signos infinitos. Un estudio de la obra narrativa de Vicente Huidobro*. Lleida: Edicions de la Universitat de Lleida.

REVERTE, Concepción; NAVASCUÉS, Javier (1986): "*Sobre los ángeles*, de Rafael Alberti, y *Altazor*, de Vicente Huidobro". En: *Dadá-Surrealismo: Precursores, marginales y heterodoxos*, Actas del Congreso celebrado en Cádiz del 19 al 22 de Noviembre de 1985, Edición a cargo de Lola Bermúdez, Inmaculada Díaz Narbona, Claudine Lécrivain, Estrella de la Torre Giménez, Universidad de Cádiz, Servicio de Publicaciones, pp. 81-85.

SALLE XIV. Vicente Huidobro y las artes plásticas. Catálogo de Exposición, Comisarios: Carlos Pérez y Miguel del Valle-Inclán. Madrid: Museo Nacional Centro de Arte Reina Sofía, 2001.

YURKIEVICH, Saúl (³1978): *Fundadores de la nueva poesía latinoamericana*. Vallejo, Huidobro, Borges, Neruda, Paz. Barcelona: Barral Editores.

VALCÁRCEL, Eva (ed.) (1995): *Huidobro. Homenaje 1893-1993*. La Coruña: Universidade da Coruña. Incluye, entre otros, Jesús Benítez Villalba: "Bibliografía sobre Vicente Huidobro" (pp. 183-197) y Teodosio Fernández: "Huidobro ante los límites del misterio" (pp. 105-113).

3. BIBLIOGRAFÍA SOBRE SU TEATRO

BÉHAR, Henri (1971): *Sobre teatro Dadá y Surrealista*. Barcelona: Barral Editores.

NEGLIA, Erminio (1985): "El vanguardismo teatral de Huidobro en una de sus incursiones escénicas". Ponencia presentada en un Simposio Internacional sobre el autor, celebrado en Chicago; publicada posteriormente en un número especial de la *Revista Iberoamericana*. Recogida en su libro *El hecho teatral en Hispanoamérica*, Roma: Bulzoni, pp. 45-56.

NORDENFLYCHT, Adolfo de (1993): "Prácticas metadramáticas en el teatro de Huidobro". En: *Cuadernos Hispanoamericanos, Los complementarios* 12 (diciembre), pp. 67-80.

PÉREZ, María Teresa (1999): "Espejo sobre el (ir)real continente: *En la luna* con Vicente Huidobro". En: *Revisión de las vanguardias*, Ed. Trinidad Barrera, Roma: Bulzoni, pp. 135-147.

PÉREZ LÓPEZ, María Angeles (2001): "Dramaturgia y modernidad en *Gilles de Raiz* de Vicente Huidobro". En: *Anales de Literatura Chilena*, Año 2, Diciembre Número 2, pp. 163-175.

SALDES BÁEZ, Sergio (1987): "Función ideológica y función poética. El juego de los espejos en *En la luna* de Vicente Huidobro". En: *Revista Chilena de Literatura*, Universidad de Chile, n° 29, abril, pp. 97-117.

ZAPATA, Mónica (1991): "*Gilles de Rais*, par Vicente Huidobro". En: *Le théâtre latino-americain. Tradition et innovation*, Actes du colloque international réalisé à Aix-en-Provence du 7 au 9 décembre 1989, Aix-en-Provence, Publications de l'Université de Provence, pp. 53-67.

4. OTRA BIBLIOGRAFÍA

OBRAS DE OTROS DRAMATURGOS

ARTAUD, Antonin (1996): *El teatro y su doble*. Traducción de Enrique Alonso y Francisco Abelenda. Barcelona: Edhasa (quinta reimpresión de la primera edición de 1978).

BRECHT, Bertolt (2000): *La ópera de cuatro cuartos. Ascensión y caída de la ciudad de Mahagonny. Vuelo sobre el océano. Pieza didáctica de Baden sobre el acuerdo. El consentidor y El disentidor* (*Teatro completo*, 3). Traducción de Miguel Sáenz. Madrid: Alianza.

CERVANTES, Miguel de (2001): *Entremeses.La destrucción de Numancia*. Edición, introducción y notas de Eugenio Asensio y Alfredo Hermenegildo. Madrid: Castalia.

GHELDERODE, Michel de (2001): "*La pie sur le gibet*" *y otras piezas breves*. Edición bilingüe. Edición de: Rose-Marie Speckens Geeraerd. Publicaciones Universidad de Alicante.

International Dictionary of Theatre -1Plays. Editor Mark Hawkins-Dady. Picture Editor Leanda Shrimpton. Chicago and London: St. James Press, 1992, pp. 797-799: "The Threepenny Opera (Die Dreigroschenoper) by Bertolt Brecht (with Elizabeth Hauptmann); music by Kurt Weill".

JARRY, Alfred (1921): *Ubu Roi*. Drame en Cinq Actes d'après les éditions publiées du vivant de l'auteur et les documents icono-biobibliographiques qui s'y rapportent. Préface de Jean Saltas. Paris: Librairie CHARPENTIER et FASQUELLE.

— (1982) : *Ubu completo*. Traducción Rafael Sender. Barcelona: Editorial Fontamara.

SHAKESPEARE, William (2003): *Hamlet. Macbeth*. Introducción, traducción y notas de José María Valverde. Barcelona: Planeta.

SOBRE SURREALISMO, PSICOANÁLISIS, SÍMBOLOS (GENERAL)

BACIU, Stefan (1974): *Antología de la poesía surrealista latinoamericana*. México: Joaquín Mortiz.

BATAILLE, Georges (²1983): *La tragedia de Gilles de Rais*. Prólogo de Mario Vargas Llosa. Barcelona: Tusquets.

BRETON, André (1965): *Le Surréalisme et la pinture*. Nouvelle édition revue et corrigée 1928-1965. Paris: Gallimard.

CIRLOT, Juan Eduardo (1997): *Diccionario de símbolos*. Madrid: Siruela.

Diccionario de los símbolos. Bajo la dirección de Jean Chevalier, con la colaboración de Alain Gheerbrant. Barcelona: Editorial Herder, 1988.

DOUCET, Friedrich W. (1975): *Diccionario del psicoanálisis clásico*. Barcelona: Editorial Labor.

GIMELGARB, Norberto (1986): "Du Surréalisme en Amérique Latine et de la trajectoire d'Aldo Pellegrini". En : *Études des Lettres*, vol. 2, pp. 81-98.

GOIÇ, Cedomil (1977): "El Surrealismo y la literatura iberoamericana". En: *Revista Chilena de Literatura* 8, abril, pp. 5-34.

HOLLIER, Denis (1971): "*La tragédie de Gilles de Rais* au 'Théâtre de la Cruauté' ". En : *L'arc*, Aix-en-Provence, Revue trimestréelle, n° 44, pp. 77-86.

LANGOWSKI, Gerald J. (1982): *El surrealismo en la ficción hispanoamericana*. Madrid: Gredos.

PAZ, Octavio: *Obras completas*. Varios vols. Barcelona: Galaxia Gutenberg. Círculo de Lectores.

PENROSE, Roland (1981): *80 años de Surrealismo. 1900-1981*. Barcelona: Ediciones Polígrafa S.A.

PIERRE, José (1983): *L'univers surréaliste*. Paris: Éditions Aimery Somogy.

OCULTISMO, TEOSOFÍA, MASONERÍA

ALONSO, J. Felipe (1999): *Diccionario Espasa. Ciencias Ocultas*. Madrid: Espasa-Calpe.

ARCHIVO GENERAL DE LA GUERRA CIVIL ESPAÑOLA: *Fotografías de Origen Masónico y Teosófico en el Archivo General de la Guerra Civil Española*. Coordinación y dirección M. Blanca Desantes Fernández. Salamanca: Ministerio de Educación y Cultura. Dirección General del Libro, Archivos y Bibliotecas, 1999.

CARO, José María (1926): *El Misterio de la Masonería. Descorriendo el velo*. Santiago: Imprenta Chile.

DANTON G. (1882): *Historia General de la Masonería*. Con un Prólogo por el eminente escritor D. Emilio Castelar. 2 vols. Barcelona-Gracia: D. Jaime Seix y Compañía.

DESANTES FERNÁNDEZ, Blanca y FRADES MORERA, José (1993): *Atributos masónicos en el Archivo Histórico Nacional. Sección Guerra Civil*, Catálogo de Exposición,

Ministerio de Cultura. Dirección General de Bellas Artes y Archivos. Diputación de Salamanca. Ayuntamiento de Salamanca.

Diccionario Enciclopédico de la Masonería, con un Suplemento seguido de la Historia General de la Órden Masónica [...], completado con un Taller General de la Francmasonería [...] escrito y ordenado por D. Lorenzo Frau Abrines y publicado bajo la dirección de D. Rosendo Arús y Arderiu. 3 vols. Habana: La propaganda literaria, Barcelona: Establecimiento Tipográfico "La Academia", [1891].

FERRER BENIMELI, José Antonio (1982): *El Contubernio Judeo-Masónico-Comunista. Del Satanismo al escándalo de la P-2*. Madrid: Ediciones Istmo.

FERRER BENIMELI, José Antonio; CUARTERO CORDOBÉS, Susana (³2004): *Bibliografía de la Masonería*. 2 ts. (3 vols.). Madrid: Fundación Universitaria Española.

RAVENSCROFT, Trevor (1994): *Hitler: La conspiración de las tinieblas*. Madrid: Editorial América Ibérica, S.A. [original en inglés *The Spear of Destiny*, 1991].

ROMAÑA, José Miguel (1996): *Nazismo enigmático. Los orígenes ocultos del III Reich*, Barcelona: seuBa edicioneS.

ARTES PLÁSTICAS, CINE, MÚSICA

AGUILERA, Christian; DIAS, Núria (2000): *Los directores de cine del siglo xx*. Barcelona: Editorial 2001.

DELARGE, Jean-Pierre (2001): Dictionnaire des Arts Plastiques Modernes et Contemporains. Paris: Éditions Gründ.

Diccionario AKAL/GROVE de la Música. Publicado bajo la dirección de Stanley Sadie (editor), Alison Latham (editor adjunto). Madrid: Akal, 2000.

The Dictionary of Art. Editor Jane Turner. 34 vols. London. New York: Macmillan Publishers. Grove, 1996.

MORGAN, Robert P. (1994): *La música del siglo xx. Una historia del estilo musical en la Europa y la América modernas*. Madrid: Akal MÚSICA.

ORTS, Edmond (1985): *El Cine. Diccionario Mundial de Directores del cine sonoro*. Bilbao: Ediciones Mensajero. T. III, "Georg W. PABST".

OTROS

ALAZRAKI, Jaime (1984): *Expliquémonos a Borges como poeta*. México: siglo veintiuno editores.

BALCELLS, Albert (1992): *Història del nacionalisme català. Dels orígens al nostre temps*. Barcelona: Generalitat de Catalunya. Departament de la Presidència. Entitat Autònoma del Diari Oficial i de Publicacions.

BOMPIANI (1988): *Diccionario literario. De obras y personajes de todos los tiempos y de todos los países*. Varios vols. Barcelona: Hora.

CALVO PÉREZ, José Luis y GRÁVALOS GONZÁLEZ, Luis (1983): *Banderas de España*. Vitoria: Silex. Impreso por H. Fournier S.A.

CERVANTES, Miguel de (2004): *Don Quijote de la Mancha*. Edición y notas de Francisco Rico. Madrid : Real Academia Española. Asociación de Academias de la Lengua Española.

DICTIONNAIRE *universel des Littératures*. Publié sous la direction de Béatrice Didier. Paris: Presses Universitaires de France, 1994, varios vols.

DUFFEY, Patrick J. (2002): " 'Un dinamismo abrasador' : La velocidad del cine mudo en la literatura iberoamericana de los años veinte y treinta". En: *Revista Iberoamericana*, vol. LXVIII, Núm. 199, Abril-Junio, pp. 417-440.

Enciclopedia Universal Ilustrada Europeo-Americana. Madrid: Espasa-Calpe, 1923, t. L, p. 1458, "RETZ Ó RAIS (GIL DE)".

FRENZEL, Elisabeth (1976): *Diccionario de argumentos de la literatura universal*. Versión española de Carmen Schad de Caneda. Madrid: Gredos.

GUILLÉN, Alberto (1921): *Deucalión*. Prólogo de Ventura García Calderón. Madrid: Editorial Nosotros [2ª ed., la primera en Lima, 1920].

MAS I SOLENCH, Josep M. (1993): *La Sardana. Dansa Nacional de Catalunya*. Text en català, castellà i anglès. Barcelona : Generalitat de Catalunya.

MICHAUD, J. F.: *Biographie Universelle Ancienne et Moderne* [ed. original, Paris, 1854] Ed. facsímil. Graz, Austria : Akademische Druck-u. Verlagsanstalt, 1968, t. 35, pp. 470-471 "RETZ (Gilles de Laval, seigneur de)"

MIRACLE, Josep (1980): *Llibre de la sardana*. Barcelona: Editorial Selecta.

PALMA, Clemente (s.a.): *Cuentos malévolos*. Prólogo de Ventura García Calderón. París: Librería P. Ollendorff.

RODRÍGUEZ B., Orlando (1994): *El teatro chileno entre 1900 y 1940*. Caracas: CELCIT (Cuadernos de Investigación Teatral 45).

III

EL DRAMA-BALLET *CUCULCÁN*, DE MIGUEL ÁNGEL ASTURIAS

Un aspecto interesante del teatro de las vanguardias, paralelo a lo que sucede en otras manifestaciones artísticas de la época, es su sincretismo cultural, pues sus representantes en muchos casos se esfuerzan por aunar lo más moderno del teatro universal con aspectos que derivan de sus propias raíces culturales[1]. Un ejemplo de esto lo tenemos en el teatro de Miguel Ángel Asturias, donde se combinan elementos procedentes del mundo precolombino con otros muy novedosos. Dentro de lo que serían las primeras creaciones teatrales del guatemalteco, la crítica más reciente destaca el drama-ballet *Cuculcán*, que, como se sabe por el propio Asturias, fue escrito paralelamente a sus *Leyendas de Guatemala* y publicado por primera vez en la segunda edición en español de las citadas *Leyendas*, aparecida en Buenos Aires, Losada, 1948[2]. *Cuculcán* ha sido un

---

[1] La bibliografía que aborda este asunto en relación a otros géneros literarios es amplia. Puede consultarse, por ejemplo, Merlin H. Forster, K. David Jackson, Harald Wentzlaff-Eggebert (eds.): *Bibliografía y Antología Crítica de las Vanguardias Literarias en el Mundo Ibérico*. Varios vols. Frankfurt am Main - Madrid: Vervuert, Iberoamericana, 1998 y ss.

[2] Como indico en la "Nota del autor", al principio del libro, la redacción original de este capítulo data de 2001. Posteriormente he podido leer la edición de Archivos del *Teatro de Asturias*, publicada en el 2003 y coordinada por Lucrecia Méndez de Penedo, de la que tomo algunos datos que incorporo a mi estudio. A mi juicio y de modo resumido, sus aportaciones principales sobre lo que ya conocía de *Cuculcán* son: la publicación de cuatro versiones en prosa de la leyenda, anteriores a la pieza teatral, que se titulan *Kukulcán* o *Leyenda del Kukul* (pp. 385-401); la ratificación, aunque no total, en la consideración de *Cuculcán* como obra dramática –me parece contradictoria su inclusión en un apartado de "Teatro-prosa" que se titula "Leyendas dialogadas (históricas y míticas)", aunque en el mismo se hallen *Soluna* y *La audiencia de los confines*–; la mayor estimación de *Cuculcán*, frente a textos teatrales posteriores de Asturias, en su experimentalidad (véase, por ejemplo, "Liminar", del crítico y dramaturgo Carlos Solórzano, xv-xx); la

texto en general poco o mal comprendido, lo cual se debe en parte a su complejidad, pero también a su carácter innovador. Pasó inadvertido en los años de su creación y publicación y no se reparó en él hasta varias décadas más tarde. Uno de los primeros críticos que advierte el valor teatral de la pieza es el Profesor chileno afincado en Francia Osvaldo Obregón, quien le dedicará un espacio relevante en su artículo "Miguel Ángel Asturias. Hacia un teatro de inspiración indígena", publicado en su libro *Reflexiones sobre teatro latinoamericano del siglo veinte*, de 1989[3]. En dicho artículo, Obregón desarrolla su explicación del texto a partir de los postulados teóricos expuestos por el mismo Asturias en una crónica periodística datada en París, en 1932, y a la que dio como título "Las posibilidades de un teatro americano"[4]. A lo largo de mi exposición repetiré algunas de las ideas contenidas en el trabajo del Profesor Obregón agregando otras nuevas, a fin de conseguir una mejor comprensión de esta obra de Asturias.

Cuculcán es una pieza breve, en la que se intercalan palabra, música y danza, siguiendo la pauta de lo que debió de ser el teatro precolombino[5], cuyo único texto conservado parece ser el *Rabinal Achí* de Guatemala. Como recuerdan Obregón y otros muchos críticos, las *Leyendas de Guatemala* están inspiradas en las traducciones que hicieron el mexicano

---

conciencia de la escasez de crítica y de intentos de llevar a la práctica el teatro de Asturias, precisamente por su modernidad, frente a un medio teatral conservador y con menos recursos escénicos. Creo que mi trabajo sigue teniendo validez, como esfuerzo de explicación de conjunto de *Cuculcán*, a partir de su doble vinculación al *Rabinal Achí* –de ahí el título del capítulo– y a rasgos de la Vanguardia, en lo que coincido con Daniel Zalacaín, cuyo artículo sobre *Cuculcán* no se incluye en la recopilación crítica del volumen de Archivos.

[3]   Buenos Aires, Editorial Galerna, Lemcke Verlag: 199-208, posteriormente recogido en su *Teatro latinoamericano, un caleidoscopio cultural (1930-1990)* y en la ed. del *Teatro* de Asturias de Archivos; véase la bibliografía del capítulo. Aunque las menciones a *Cuculcán* son múltiples, son pocos los trabajos que se ocupan exclusivamente de esta pieza.

[4]   Está recogida en Miguel Ángel Asturias: *París, 1924-1933. Periodismo y creación literaria* (476-479) y en el "Apéndice I" de su *Teatro* en Archivos (839-843). En su ensayo, Obregón cita el libro de Marc Cheymol (1987): *Miguel Angel Asturias dans le Paris des Années Folles*, quien había señalado ya la relación de *Cuculcán* con las crónicas parisinas de Asturias y la fantomima *Rayito de estrella*, publicada en 1929 (177-181).

[5]   El interés por el pasado prehispánico ha ido en aumento durante el siglo xx y la bibliografía, cada vez más copiosa, suele referirse a zonas culturales, dadas las diferencias entre ellas; sin embargo, esta combinación de palabra, música y danza se señala como una característica común a todas las zonas.

José María González de Mendoza (que empleaba el seudónimo el Abate Mendoza) y Asturias del *Popol Vuh o Libro del Consejo de los mayas* (publicado en 1927) y de los *Anales de los Xahíl de los indios cakchiqueles* (publicado en 1928), traducciones ambas del maya al español realizadas bajo la supervisión del prestigioso investigador francés Georges Raynaud, a cuyas clases de Estudios sobre las religiones de la América precolombina acudían entonces Mendoza y Asturias en La Sorbona. Otro discípulo de Raynaud en la misma época fue el poeta guatemalteco Luis Cardoza y Aragón, quien tradujo al español la versión francesa que hiciera Raynaud del *Rabinal Achí* de Guatemala (publicado en 1927)[6]. Aunque es cierto que Asturias debe mucho en sus *Leyendas* al *Popol Vuh*, se debe subrayar que en *Cuculcán* tomará como modelo dramático el *Rabinal*, citado por él, como recuerda Obregón, en su artículo sobre "Las posibilidades de un teatro americano".

Volviendo a la idea del sincretismo cultural, también hubieron de influir mucho en el guatemalteco, para la concepción de *Cuculcán*, los ballets rusos, presenciados durante su estancia en París, y para los que no escatima elogios en otra de sus crónicas periodísticas[7]. En este sentido la reacción de Asturias es similar a la de los jóvenes vanguardistas españoles, quienes quedaron asimismo impresionados por su belleza y modernidad. Entre los ballets rusos, parece que hizo especial mella en él *El pájaro de fuego*, de Igor Stravinsky, del que comenta, más que la música, el impacto visual, con sus juegos de luces, colorido y movimiento de grupos en escena; lo cual repercutirá en *Cuculcán*, donde adaptará esos recursos a la temática indígena[8].

---

[6] Cardoza habla de ello en su autobiografía *El Río. Novelas de caballería*: 203-210.

[7] "Ballets rusos" (1927), recogida en op. cit.: 192-195 y "Apéndice I", *Teatro*, Archivos: 814-817. Gerald Martin, en la nota 164 de *París, 1924-1933. Periodismo y creación literaria* (p. 574) resalta el paralelismo con dos artículos de Carpentier: "La evolución estética de los ballets rusos" (1929) y "Stravinsky: el clasicismo y las corbatas" (1930). Carpentier, amigo de Asturias y Uslar Pietri en este período parisino, escribe una pieza teatral análoga a *Cuculcán* llamada *El milagro de Anaquillé* (1927); trata de ambas Vicky Unruh en su *Latin American Vanguards. The Art of Contentious Encounters*.

[8] Sobre la presentación de "El pájaro de fuego" de Stravinsky en el Teatro Real de Madrid, en 1916, véase, por ejemplo, Ana María Arias de Cossío: *Dos siglos de escenografía en España*, Madrid, Mondadori, 1991, "Los primeros síntomas de la renovación escénica: A. Gual, Unamuno, Valle-Inclán y los ballets rusos". Trata también de la repercusión de los ballets rusos en autores españoles, Jesús Rubio Jiménez: *El teatro poético en España*, Murcia, Cuadernos de Teatro. Universidad de Murcia, 1993: 83 y ss. Para lo que se dice

Cuculcán está dividido en tres partes, que no corresponden a una distribución tradicional de la acción en actos, con introducción, nudo y desenlace, sino que gozan de mayor independencia entre sí. Cada parte está compuesta a su vez de otras tres que llevan por título "cortina" y que se determinan mediante un color que predomina visualmente en la escena con un valor simbólico. Por ejemplo, la primera parte está compuesta por "Primera cortina amarilla", "Primera cortina roja", "Primera cortina negra"; la segunda por "Segunda cortina amarilla", "Segunda cortina roja" y así sucesivamente. El amarillo corresponde a la luz solar de la mañana, el rojo a la de la tarde y a la sangre, y el negro a la noche asociada a la muerte; dichos tres colores, junto con el blanco, están ligados asimismo a los cuatro puntos cardinales en la cultura maya. En cada una de las dos primeras partes las cortinas están formadas por unidades de sentido vinculadas a entradas y salidas de personajes, mientras que en la tercera, mucho más breve, intervienen sólo dos personajes en las cortinas amarilla y roja y uno en la negra, con parlamentos escuetos. Como acabo de apuntar, en cada "cortina" hay un color predominante, lo cual se debe al color del "telón" o cortina de fondo de cada una y al vestuario de los actores[9]. Aunque Asturias en "Las posibilidades de un teatro americano" hable de un "teatro para representar al aire libre", acorde con el espacio de actuación de las culturas mesoamericanas[10], las indicaciones escénicas hacen pensar en un local específico cerrado, por varios motivos: En primer lugar, la iluminación, con efectos propios de luz artificial, por la transformación de las tres cortinas y las acotaciones, por ejemplo:

> *En la oscuridad, Tortuga con Flecos se ve iluminada como un pequeño volcancito de arenas de oro.*

---

a continuación de la concepción del mundo maya, véase, por ejemplo, Miguel Rivera Dorado: *La religión maya*, capítulo "El semblante del universo".

[9] Asturias, "Las posibilidades...", (1988) 477: "En el teatro chino, la decoración es de palabra. [...] En el teatro maya-quiché que nos proponemos, teatro para representar al aire libre, sin escenario, a la altura del público, la decoración quedará reducida a lo más simple: a una cortinilla de color, amarilla si es por la mañana, por ejemplo, roja si es por la tarde, y negra si es por la noche".

[10] Por la bibliografía que conozco, la actividad teatral o parateatral mesoamericana tenía lugar en espacios abiertos. Como peculiaridad arquitectónica, Fernando Horcasitas (1974, cap. IX) habla de las plataformas aztecas o "momoztli".

La tiniebla suavemente teñida de luz de luciérnaga, luz anterior a la luz de la luna, por el resplandor de la concha dorada de Tortuga con Flecos, deja entrever, al fondo, los cuerpos de los amantes felices, al pie de la cortina negra [...]

El cabello de Cuculcán, acariciado por las manos de Yaí empieza a brillar con luz de luciérnaga.

Un trueno, al tiempo de hacerse noche profunda, ahoga todos los sonidos. La luz vuelve paulatinamente, después de la tempestad[11].

Conforme han señalado Obregón y otros críticos, en éste y otros aspectos se manifiesta que Asturias conoce las reflexiones sobre el teatro de Adolphe Appia, Edward Gordon Craig y otros escenógrafos y directores de las primeras décadas del siglo. El requerimiento de actuación como *"Invisible"*, *"Oculto"*, puede materializarse mediante el uso de una máscara negra, como indica Asturias en la crónica citada[12], pero también cabe imaginar al actor que habla oculto entre bastidores. Pese a que se utiliza maquinaria escénica en la calle, un teatro facilita las cosas; piénsese, por ejemplo, en la siguiente acotación, para la que se requiere algún tipo de polea:

Al decir esto, lanza el bulto hacia lo alto [con la Abuela de los Remiendos dentro de él]. En vano trata Blanco Aporreador de interponerse, de impedirlo, ya está hecho y en lugar de caer el bulto, sigue hacia arriba y se detiene como una nube, a los ojos de todos. (184)

El lenguaje poético del texto (incluidas las acotaciones), la estructura y la gestualidad evocan el teatro de Valle Inclán, de quien Asturias se confiesa admirador[13]. La animalidad del gesto, descrito en la siguiente acotación, recuerda esta característica de los personajes de *El Señor Presidente* (cuyas primeras versiones hoy sabemos que son coetáneas a

---

[11] Cito por *Leyendas de Guatemala*, Edición de Alejandro Lanoël, Madrid, Cátedra, 1995, pp. 166, 168, 210, 213.

[12] "No faltará el personaje (hombre o animal) de máscara negra, lo que significa que es un personaje que toma parte en las escenas sin existir, o existiendo en la noche del no existir" (478).

[13] El uso de escenas breves es otra de las propuestas de Asturias en "Las posibilidades..." (478). Las simpatías y antipatías del guatemalteco, en general coincidentes con las de los autores del teatro español vanguardista, quedan reflejadas en su crónica "El problema escénico" (recogida en Asturias 1988: 469-470 y "Apéndice I", *Teatro*, Archivos: 836-838).

Cuculcán), el esperpento valleinclanesco e incluso el teatro de la crueldad de Artaud:

> *Pronto [Chinchibirín] se tiende tétricamente alargado como un cadáver, aunque poco a poco se va alejando del lugar en que ha estado así por un momento, ayudándose de los codos, la cabeza, la espalda, los pies, para no perder su posición de muerto alargado; mas al tocar la cortina amarilla, hace aspavientos de animal que se sacude el agua del pelo, y salta de un lado al otro. (174)*

El deseo de distanciarse de la estética realista resulta patente en otros muchos aspectos; por ejemplo, el personaje Cuculcán rompe la ilusión escénica cambiando el color de sus vestidos ante el público (163, 186).

La fábula de Asturias es simple, pero no su interpretación, de ahí la divergencia de opiniones entre los críticos; resumo el asunto: Cuculcán, Señor poderoso que se presenta diciendo "¡Soy como el Sol!", dialoga con sus consejeros Guacamayo y Chinchibirín sobre el transcurso del día y el hecho de tener que yacer al llegar la noche con una doncella, quien morirá tras ello. Aparece a continuación la joven Yaí, "Flor amarilla", que atiende a las opiniones encontradas de Guacamayo y Chinchibirín sobre su destino, tras lo cual se une a Cuculcán. Por último, Chinchibirín, lamentándose, llama repetidamente a Yaí, a la que se identifica en la última acotación con la Luna. Doy el final de la obra (217):

> *(Su grito no tiene eco ni respuesta.)* ¡Yaí! ¡Yaí! ¡Yaí! *(Como el que oye que le han contestado, vuelve a ver a su pecho, se lleva las manos, se palpa, se busca, trata de abrirse las ropas que se rasga en la prisa de hacerlo pronto, y de su pecho saca la Luna. Un círculo dorado que prende en la cortina negra. Cae. No se mueve más.)*[14]

Estos cuatro personajes principales están acompañados por otros cuatro de menor entidad y por varios grupos de personajes que intervienen a modo de coros, reforzando el simbolismo y añadiendo vistosidad a la escena.

Grosso modo, lo que acabo de exponer parece ser la recreación del mito de la sucesión de los días y las noches, con el enfrentamiento entre el

---

[14] Las versiones en prosa de la leyenda varían en algo el asunto, aunque sirvan para esclarecer puntualmente partes del texto de la obra dramática. Por ejemplo, la *Leyenda del Kukul* termina con el Cacique Kukul convertido en ave. El diálogo entre un gran señor y sus consejeros está también en la "Fantomima en tres pies" *El rey de la Altanería*; véase "Teatro-verso (fantomimas)", *Teatro*, Archivos: 697-740.

El drama-ballet *Cuculcán* 97

dios solar o los personajes ligados a él y su contrario la Luna, tema que reaparecerá en la obra más difundida del teatro de Asturias: *Soluna* (Sol + Luna)[15]. Esta idea está presente tanto en la mitología mesoamericana como en la de otras culturas antiguas –compárese, por ejemplo, con la historia de Isis y Osiris en la egipcia–; sin embargo, si atendemos al sentido literal de lo que se dice en *Cuculcán* la interpretación no es tan sencilla. En la primera edición de sus *Leyendas de Guatemala* y en las siguientes Asturias puso un "Indice alfabético de modismos y frases alegóricas", a fin de ayudar a los lectores europeos; a él remito al analizar a los personajes[16]. De la primera edición, de 1930, a la segunda, de 1948, en la que incluye *Cuculcán*, hay muy pocas variantes en el glosario, a excepción de las "Notas sobre Cuculcán" que añade ahora.

Cuculcán, el personaje central que da título al drama, es explicado por Asturias en nota como "El *Kukulcán* de los mayas, el *Gucumatz* de los quichés, y el *Quetzalcohuatl* de los nahuas", la "Emplumada Serpiente", "un Poderoso del Cielo, equiparado con el Sol por su poder y no porque tenga que ver el nombre Cuculcán con el Sol"[17]. Aquí llaman la atención dos cuestiones: En primer lugar, la elección de Cuculcán, dios que está en el *Popol Vuh* pero es de origen foráneo para los mayas antiguos[18], como figura central del empeño teatral de Asturias. Arturo Arias, en un artículo de homenaje al guatemalteco[19], recuerda cómo

---

[15] Las cuatro versiones narrativas *Kukulkán, Leyenda del Kukul*, empiezan casi igual: " 'A los Pies de los Venados', era el nombre de la gloriosa ciudad de Kukulkán, el Gran Poder del Cielo, el que pasaba, sin volver atrás, de la mañana a la tarde, de la tarde a la noche, de la noche a la mañana, el que vivía en un palacio con estancias, jardines, territorios y mares para la mañana, para la tarde, para la noche". Véase *Teatro*, Archivos: 385, 390, 394, 396; coloco los acentos que ha omitido el editor. En la primera versión se habla de "su palacio de forma circular" (387).

[16] Como se indica en la bibliografía del capítulo, he podido consultar las primeras ediciones de *Leyendas de Guatemala*. Lanoël en su edición no indica claramente la filiación de las notas que se sitúan al final de la misma, que reproducen las de las primeras ediciones de las *Leyendas*. Para el *Popol Vuh* he consultado la edición de Adrián Recinos. No he podido disponer de la traducción del *Popol Vuh* hecha por Asturias, publicada con el título de *Los Dioses, los Héroes y los Hombres de Guatemala antigua*.

[17] Véase Asturias "Notas sobre Cuculcán" (195-196) y Lanoël (226). En las cuatro versiones en prosa se habla de Kukulcán "como el Sol"; en la primera y segunda "para Yaí, flor amarilla, Kukulcán es más que el Sol, es Girasol".

[18] Véase, por ejemplo, J. Eric S. Thompson: *Historia y religión de los mayas*.

[19] "Enterrando el mito del primitivismo, redescubriendo a un autor eminentemente contemporáneo", en *1899/1999. Vida, obra y herencia de Miguel Ángel Asturias*: 41-51.

el gran especialista de Asturias Gerald Martin justifica la elección de Kukulkán/Quetzalcóatl como un mito de unión hispanoamericana, alternativa convincente a Jesucristo en la función de héroe cultural integrador. Esta identificación de la deidad prehispánica con la cristiana se produce ya en época colonial en la *Historia general de las cosas de Nueva España* de Bernardino de Sahagún. La segunda cuestión importante en relación al personaje es su *no* identificación absoluta con el Sol, la cual confunde bastante y determina la disparidad de interpretaciones de la obra. Tanto la "Primera" como la "Segunda cortina amarilla" se inician con Cuculcán repitiendo las palabras "¡Soy como el Sol!"; en la "Primera" el Guacamayo, apodado "el Engañador" le responde diciendo "Eres el sol". Como hemos visto, la nota de Asturias al personaje no ofrece lugar a dudas; en este sentido la intervención de Guacamayo viene a ser la de un tentador (especie de Luzbel), que trata de suscitar un orgullo desmedido en Cuculcán para perderlo. Guacamayo equivale a Vucub-Caquix o Siete-Guacamayo del *Popol Vuh*[20]. Detalles que aumentan la confusión respecto a la identificación entre Cuculcán y el Sol, son el "radio mágico" que emite la cortina amarilla en escena (pp. 149, 174) y la actuación de Cuculcán elevado por encima del resto de los personajes mediante el uso de zancos que crecen hasta acabar convertidos en árboles[21].

Hago aquí una digresión para añadir datos sobre la imaginaria puesta en escena de la obra. Es conocida la costumbre que tenían los indios mesoamericanos de realizar bosques artificiales, la cual pasará al teatro evangelizador[22]. Por otra parte, el uso de zancos no es sólo una práctica europea, sino que está también documentado entre los mayas antiguos,

---

[20] Asturias id., Lanoël 229. Sobre la no identificación de Cuculcán con el Sol véase, por ejemplo, Eladia León Hill: *Miguel Ángel Asturias. Lo ancestral en su obra literaria*: 59 y ss.

[21] Véase 177. Rezan las acotaciones: "*Los zancos de Cuculcán empiezan a crecer y él se ve más alto. [...] Han seguido creciendo los zancos y ya casi ha desaparecido en lo alto. [...] Cuculcán desaparece en lo alto. De los zancos brotan enormes ramas. Se vuelven árboles*". En la crónica parisina de Asturias "Sobre las posibilidades de un teatro americano" (477) el guatemalteco propone: "en la decoración deberá buscarse la desproporción. Árboles gigantes y animales pequeñitos, y gentes más pequeñitas aún. Y los árboles se pasearán de un lado a otro, subiendo y bajando a las montañas [...]."

[22] Véase, por ejemplo, Horcasitas, op. cit.

como refleja una imagen del Códice matritense[23]. Al referirse Gordon Brotherston a las traducciones mayas realizadas por Asturias y su eco en *Leyendas de Guatemala* observa:

> Para corroborar la filosofía que aprendió leyendo y traduciendo los textos indígenas escritos en el alfabeto, Asturias solía recurrir hasta al lenguaje visual de sus antecedentes, es decir, las inscripciones y los códices, intercalándolo en su propia narrativa según lo había hecho en el texto de su traducción del *Popol Vuh*. *Leyendas* se distingue al respecto, al incluir 'motivos' de varios textos precolombinos[24].

Es decir, que Asturias idea una puesta en escena de *Cuculcán* que trata de reproducir visualmente las imágenes de los vestigios mayas. Otro ejemplo de esto lo tenemos en el uso de máscaras por algunos personajes de la pieza; no las llevan todos y en el caso de Cuculcán y Chinchibirín que las utilizan, se trata de una prenda que el actor debe ponerse o quitarse según las acotaciones. Hay que recordar aquí que en los teatros más antiguos, como sucede con el *Rabinal Achí*, el hecho de colocarse una máscara significa la apropiación del espíritu del personaje que se representa, en una acción ritual[25]. En varias acotaciones se exige música realizada por instrumentos indígenas, como instrumentos de viento hechos con barro, caña o caracolas, caparazones de tortugas, tambores y, en particular, un instrumento de percusión que no ofrece lugar a dudas sobre su origen, como es el *tun* (tronco de árbol hueco que se golpea). Hay que recordar que el *Rabinal Achí* es considerado un baile del tun guatemalteco[26]. Otro baile indígena que se introduce en *Cuculcán* es la

---

[23] René Acuña, en *Farsas y representaciones escénicas de los mayas antiguos*, habla incluso de un *Chitic* o "baile de zancos".

[24] *1899/1999. Vida, obra...*: 158. Esto lo he podido verificar al consultar la primera edición de *Leyendas de Guatemala*, donde los 'motivos' aparecen sin firma; en la segunda edición, ya con *Cuculcán*, los dibujos, más artísticos, pertenecen a Toño Salazar. En esto coincide Marco Cipolloni, *Teatro*, Archivos: CVIII: "Otro aspecto de relieve que viene al caso y que los materiales genéticos nos revelan, es la importancia estructural del elemento visual, icónico y gráfico [...] en el proceso de elaboración de todos los textos de Asturias y en particular de sus textos teatrales".

[25] Véase, por ejemplo, René Acuña: *Introducción al estudio del "Rabinal Achí"* o Michela Craveri: *Rabinal Achí. Una lettura critica*. La máscara desempeña una función importante en *Soluna*.

[26] Id. Hay un personaje de menor entidad en la obra llamado "Blanco aporreador de tambores".

danza de los arqueros flechadores, caracterizada por el disparo real de los dardos[27]; en esta obra Cuculcán y Chinchibirín disparan sus flechas contra la Primera cortina roja, la cual, humanizándose, *"se lamenta como herida de muerte cada vez que la toca una flecha"* (153).

Volviendo a la interpretación de Cuculcán como personaje, también ha sido visto como un *alter ego* del autor, tomando la figura de Quetzal-coátl en su papel de educador; véase la nota de Asturias a Cuero de Oro en las *Leyendas*[28].

Guacamayo, "Gran Saliva de Espejo Engañador", es caracterizado por Asturias como un gran pájaro de fuego con plumaje de todos los colores. Asturias lo describe en nota:

> es el ave del fuego solar, del Sol. En uno de los primeros cantos del *Popol-Vuh*, dice el Guacamayo: "yo el sol, yo la luz, yo la luna". Su orgullo fue su derrota. Al encontrarse con Cuculcán, frente a la primera cortina amarilla, trata de perderlo, de hacerle decir: "yo soy el sol", en un juego-lucha de palabras característico de estos relatos míticos[29].

Volvamos a recordar ahora el entusiasmo de Asturias ante el ballet *El pájaro de fuego* de Stravinsky. De principio a fin de la obra Guacamayo emite un graznido humorístico, como de un gran pato: "Cuac, cuac, acu-cuac, cuac". Esta deidad es pintada en el Códice de Dresde con cabeza de Guacamayo y cuerpo humano, llevando una antorcha encendida, símbolo de sequía o calor abrasador en cada mano, lo cual explicaría por qué Guacamayo convierte las manos de la doncella Yaí en espejos que la abrasan[30]. Conviene subrayar que el espejo es un objeto de rica tradición simbólica, reiteradamente utilizado por las vanguardias, donde se asocia al mito de Narciso y es expresión de la engañosa realidad. En

---

[27] Véase René Acuña: *Farsas y representaciones escénicas de los mayas antiguos*; Fernando Muñoz: *El teatro regional de Yucatán*.

[28] Aparece en la parte anterior a las "Notas sobre Cuculcán", dentro del "Índice", en Lanoël 227.

[29] Asturias "Notas sobre Cuculcán", Lanoël 229.

[30] Véase, por ejemplo, Thompson, op. cit. Existe un día maya denominado *Cauac*. En las versiones en prosa de la leyenda, se dice que Guacamayo avisa a Yaí acerca de su muerte y actúa sobre sus manos para que se proteja; por ejemplo, en la primera: "Yaí, mi acucuac, la que yo más quiero de todas las flores amarillas, sopla sobre la palma de tus manos, si quieres escapar a la muerte, y tu huelgo de mujer recubrirá el espejo de mi voz, que en ellas he dejado, de una piel muy fina" (*Teatro*, Archivos: 387).

algunas interpretaciones de *Cuculcán* Asturias es visto a su vez como Gran Saliva o el Engañador, creador de relatos.

Chinchibirín tiene a todas luces nombre de gracioso, aunque se comporte con Cuculcán como un criado de buen seso. Asturias reconoce en nota que su nombre carece de un significado especial[31]. Tanto por investigaciones sobre las culturas mesoamericanas como por testimonios de los misioneros, sabemos que los indígenas tenían una especie de farsas o entremeses en los que intervendrían personajes cómicos[32], Chinchibirín no lo es, pero esto pudo servir como punto de partida para la concepción del personaje.

El cuarto personaje principal de la pieza es la doncella Yaí, "Flor amarilla", quien encarna a la Luna. Asturias en nota dice de ella: "El verdadero nombre es 'Yia', 'hierba de flores color de oro', anís salvaje que se quema ante los dioses"[33]. Entre los mayas existe asimismo una asociación entre la imagen del Sol como deidad y las flores[34].

Tras estos cuatro personajes centrales se sitúan otros cuatro de menor entidad: Ralabal, el viento, que actúa siempre "invisible", tomado junto con Huvaravix, el "Maestro de los Cantos de Vigilia", de los *Anales de los Xahíl*, según explica Asturias[35]; la Abuela de los Remiendos, de traje colorido, figura clave en las historias mayas y que se representa con su hatillo[36]; y por último, a modo de comparsa, el Blanco aporreador de tambores.

---

[31] Id., Lanoël 224.

[32] Las referencias a este hecho son numerosas; remito, por ejemplo, a bibliografía citada anteriormente sobre el pasado precolombino.

[33] Asturias id., Lanoël 239.

[34] Véase, por ejemplo, Laurette Séjourné: *Pensamiento y Religión en el México Antiguo*: 160.

[35] Asturias id., Lanoël 236.

[36] Asturias, Lanoël 221. En la entrevista que hace Rita Guibert a Asturias, este último justifica la dedicatoria de *Leyendas de Guatemala* (tomo la cita de *1899/1999. Vida y obra...*: 226-227): "Al decir 'a mi madre que contaba cuentos', frente a las leyendas que se referían a Guatemala, lo que hacía era rememorar todos los elementos vitales, sustanciales, universales de esa gran fuerza cósmica que es la madre entre los indígenas, entre las creencias puramente mayas, y antes de la madre es de la abuela, es de la tierra, de donde van a surgir todos los demás elementos de la vida. Es curioso, pero en el *Popol Vuh*, la biblia de los quichés, se dice que la madre, es decir, la gran bruja, la gran curandera, la gran estrella sideral, es la que asiste a sus nietos y a sus hijos en las luchas y conflictos del bien y del mal."

Los personajes corales que Asturias añade en *Cuculcán* son: Otras especies de aves y otros animales que emiten el fondo sonoro de la selva tropical, como Pijuyes, Chiquirines, Tórtolas, Gallos, Coches (Cerdos) de monte, Coyotes. Un grupo de Tortugas que irrumpen en las cortinas negras y que simbolizan, como dice el autor, "fuerzas telúricas oscuras, subterráneas, en contraste con los Chupamieles, fuerzas aladas"[37] y entre las cuales destaca una Tortuga Barbada y otra Tortuga con Flecos, cuya estampa debe proceder asimismo de imágenes indígenas. Un conjunto de Chupamieles o Colibrís de diversos colores (verdes, rojos, amarillos, morados y negros), que preceden la aparición de Yaí, pues en los mitos mayas se recoge la conversión de doncellas en colibrís, y que también se vinculan con la leyenda azteca del Quinto Sol[38]. Los citados Guerreros arqueros y Sirvientas, jóvenes o ancianas.

En más de una ocasión Asturias requerirá gestos rituales al actuar, como cuando Chinchibirín reverencia los cuatro puntos cardinales (174). Las referencias a características del mundo maya son múltiples, aparecen además: la Ceiba o árbol sagrado que se sitúa en el vértice del universo, en medio de los cuatro puntos cardinales uniendo mundos, los elementos vitales de los mayas (agua, maíz, fuego), la zona del Baúl de los gigantes, actos de adivinación con frijolillos rojos, el juego de pelota, las piedras preciosas y la obsidiana, la cerbatana como instrumento de caza, peinados puntiagudos o con penachos, los volcanes del paisaje centroamericano, etc. Por ejemplo, en las "Notas sobre Cuculcán" de la edición de 1948:

> Ts'ité. "*Ts'ité o Tzité* (Erythrina corallodendron). Árbol Coral, vulgarmente llamado *Pito*, en Guatemala", sirve para predecir el futuro por la forma como quedan los granos, al ser arrojados. El Guacamayo anuncia, al hacer el remedo, en la primera cortina amarilla, que está empleando el "ts'ité", para predecir la suerte. En la segunda cortina amarilla , Chinchibirín no hace una simple caricatura de la prueba, sino efectivamente arroja los frijolitos de color coral, que es como lo hacen los brujos o adivinadores.

La muerte de Yaí y de otras doncellas tras pernoctar en el lecho de Cuculcán evoca la práctica religiosa de los sacrificios humanos.

---

[37] Asturias id., Lanoël p. 238.

[38] Asturias sólo dice en nota que el Colibrí es "símbolo de valentía", su significación dentro de la cosmogonía maya se recoge en bibliografía especializada; véase, por ejemplo, Thompson, Séjourné, op. cit.

Entre las interpretaciones globales de la obra está la que la asocia a la leyenda azteca de los Cinco Soles o cinco etapas de la historia de la humanidad, que Asturias compendia en las Tres Cortinas de *Cuculcán* o los *Tres de Cuatro Soles*, su última novela; por este motivo Dorita Nouhaud, en la excelente "Introducción" a su edición crítica de ese relato[39], remite constantemente a *Cuculcán* como su más claro antecedente. El último de los tres de cuatro soles representaría el fin de los tiempos, de ahí la visión pesimista que atribuye Nouhaud a la novela póstuma del Nobel. Lanoël establece la misma relación en la "Introducción"a su edición de las *Leyendas de Guatemala*, justificando de esta manera la imagen de Chinchibirín en la última Cortina, tras la desaparición de Yaí, quien camina triste, *"como enterrando los pies en el suelo", "derrotado"* (217).

A la postre resulta difícil sacar una explicación coherente de las ideas de Asturias en *Cuculcán*, pues, tal como han visto críticos que lo han intentado a partir de los mitos mayas[40], los cabos sueltos y contradicciones son importantes; hay que recordar la reacción que tuvo Raynaud cuando su alumno le dio a leer las *Leyendas*. No obstante, sí hay, en cambio, una coherencia estética, ya que, según señaló Paul Valéry acerca del mismo libro en una carta a su traductor al francés, Francis de Miomandre[41], Asturias consigue transmitirnos una sensibilidad distinta. El lenguaje poético del guatemalteco entorpece la comprensión racional, pero simultáneamente recrea la musicalidad maya con sus onomatopeyas, circunloquios, repeticiones. En ese afán de mostrar el exotismo americano frente a lo europeo, Asturias no se contenta con utilizar voces de origen maya o azteca, sino que agregará otras de origen americano general y, lo que es más llamativo, incluso palabras simplemente rebuscadas o exóticas; valga como muestra de esto la siguiente acotación:

> *Al oír la palabra Girasol, empieza a dar vueltas como un **derviche** turnante*
> (211, el subrayado es mío)

Son también característicos de su lenguaje la plasticidad y el barroquismo, que se conjugan, verbigracia, en el siguiente parlamento que

---

[39] Paris: Editions Klincksieck; México, Madrid, Buenos Aires: Fondo de Cultura Económica, 1977, pp. XV-XCV.

[40] Por ejemplo, Eladia León Hill y Dorita Nouhaud, op. cit.

[41] Esta carta se suele recoger en las ediciones posteriores de la obra; véase en la edición de Lanoël: 83-84.

pronuncia el viento (Ralabal, *"Invisible"*), donde describe el agua en avalancha como si fuera la ceiba sagrada del centro del universo:

Quien conoce los vientos como yo, yo Ralabal, yo, yoo, yooo... el que peina los torrentes que se pandean como troncos de ceibas de cristal que tienen la raíz donde los árboles llevan el follaje, porque nacen en lo alto, y las ramas donde los árboles tienen la raíz, porque florecen abajo, al abrir sus copas de cristal en espumosas hojas e irisadas flores; yo, Ralabal, yo, yooo, yoooo... (156)[42]

El guatemalteco ha alcanzado ya un notable grado de madurez en el estilo, que se revelará en el conjunto de las *Leyendas* y en su gran novela *El Señor Presidente*. Dentro de las obras de Asturias, se ha señalado la similitud que guardan *Cuculcán* y su fantomima *Rayito de Estrella*, publicada como *plaquette* en 1929. Tanto en el drama como en la fantomima llama la atención el carácter lúdico. En "Las reflexiones de un teatro americano" Asturias pone como modelo para este teatro los juegos infantiles y ese carácter lúdico, no lo olvidemos, es un factor fundamental de la experimentación vanguardista; piénsese, por ejemplo, en obras teatrales de Federico García Lorca. El debate entre Guacamayo y Chinchibirín se cifra en buena parte en el juego de palabras, de hecho Guacamayo dice a su contendiente "¡Juguemos a las palabras!"; es el serio y "simple sport de los vocablos" al que anima Huidobro en su magistral *Altazor*[43]. Daniel Zalacaín, en su artículo sobre *Cuculcán*[44], resalta la modernidad de la obra, que se relaciona, como dije anteriormente, con el teatro absurdo hispanoamericano posterior.

La visión que subyace en *Cuculcán* del transcurso de los días, es decir, del transcurso de la vida como un sueño, ejemplifica también el sincretismo cultural: se encuentra en la poesía precolombina, conocida por Asturias; el Barroco español, entre cuyos autores Asturias es comparado a Quevedo; las filosofías inmanentistas y los autores de Vanguardia en general, piénsese en Jorge Luis Borges o en los surrealistas[45]. Es bastante

[42] Véanse, por ejemplo, las ilustraciones de Miguel Rivera Dorado, op. cit.: 45 y 47.

[43] Véase *Altazor. Temblor de cielo*, Edición de René de Costa, Madrid, Cátedra, 1981, p. 97. Para Unruh *Cuculcán* es ante todo una pieza sobre el lenguaje.

[44] En la bibliografía del capítulo. Hay que subrayar que el libro de Zalacaín, *Teatro absurdista hispanoamericano*, a excepción de Virgilio Piñera, se refiere a autores posteriores.

[45] Véase Lucrecia Méndez de Penedo en *1899/1999. Vida, obra...*: 547. El sincretismo cultural de Asturias en esta pieza tiene un hermoso ejemplo en el desplazamiento que

conocida la importancia que tienen los sueños para los surrealistas como medio para llegar a una realidad transcendente y las vinculaciones de Asturias con este movimiento[46]. Asturias no sólo pretende hacer viajar a sus lectores o espectadores en el tiempo y el espacio, hacia el lejano pasado mesoamericano, sino que él mismo se aventura en un viaje a través del inconsciente para permitir que aflore una sensibilidad remota, oculta, soterrada, y por ello diferente; tal como explicaba el autor al ser entrevistado por Luis López Álvarez[47]:

> Para nosotros el surrealismo representó (y ésta es la primera vez que lo digo, pero creo que tengo que decirlo) el encontrar en nosotros mismos no lo europeo, sino lo indígena y lo americano, por ser una escuela freudiana en la que lo que actuaba no era la conciencia, sino el inconsciente. Nosotros el inconsciente lo teníamos bien guardado bajo la conciencia occidental. Pero cuando cada uno empezó a registrarse por dentro se encontró con su inconsciente indígena, lo que nos proporcionó la posibilidad de escribir, por ejemplo, en el caso mío, no digamos las *Leyendas de Guatemala*, que son muy talladas a lo occidental, pero sí el *Cuculcán*, que va en las leyendas y que ya es un tema absolutamente indígena, en el que hay fuerzas solares, y otras del bien y del mal, pero extraídas de un interior que el surrealismo me había permitido conocer. [...] El surrealismo despertó en nosotros el sentir. Favoreció nuestra tendencia a *sentir* las cosas en lugar de *pensarlas*. Precisamente la diferencia entre la literatura europea y la latinoamericana reside en que los latinoamericanos sentimos las cosas y después las pensamos, y los europeos piensan las cosas y después las sienten.

La idea de la vida como una ilusión, ocupa un lugar destacado en el debate entre Chinchibirín y Guacamayo y es reiterada por Yaí en las páginas finales de *Cuculcán* (150, 209-210):

---

utiliza Yaí cuando dice "sudo espinas", es decir, que el personaje de base precolombina, al sufrir, se compara con Cristo, que suda sangre, coronado de espinas (208-209).

[46] Aparece en abundante bibliografía, cabe citar, por ejemplo, el excelente capítulo que le dedica Gerald J. Langowski en *El surrealismo en la ficción hispanoamericana*: 57-86.

[47] Ibid.: 195-196. En "Introducción", *Teatro* de Asturias, Archivos: XLIV, Lucrecia Méndez de Penedo sostiene: "Como otros escritores latinoamericanos, Asturias utilizó las técnicas vanguardistas no para un retorno exclusivamente esteticista o esotérico al mito, sino como puerta de entrada al inconsciente y la memoria colectiva de su componente relegado: el indígena. De allí la dimensión épico-glorificadora que signa su realismo mágico."

GUACAMAYO.- ...(Nada existe, Chinchibirín, todo es sueño en el espejismo inmóvil, sólo la luz que cambia al paso de Cuculcán que va de la mañana a la tarde, de la tarde a la noche a la mañana, hace que nos sintamos vivos. (*Corta bruscamente y al tiempo de llevarse una pata al pico.*) (La vida es un engaño demasiado serio para que tú lo entiendas Chinchibirín!

YAÍ.- (*Vivamente.*) (Como todo lo que existe en el Palacio Redondo de los Tres Colores! ¡En el Palacio del Sol, todo es mentira, fábula, nada es verdad, nada, sólo el Señorón que nos lleva de la mañana a la tarde, de la tarde a la noche, de la noche a la mañana... (*Cuculcán bota la cabeza en el regazo de Yaí como agobiado por lo que dice, y ella empieza a acariciarle los cabellos leonados.*) ¿A qué conduce, dime Señor del Cielo y de la Tierra, esta sucesión de días y de noches, de días y de noches, de días y de noches? A nada conduce. A dar una sensación de movimiento que no existe, porque el que se mueve eres tú; de vida que no es real sino ficticia y aún así, patrimonio que no nos pertenece, porque somos de los que nos están soñando, sueños corporales, ¡eso somos!...

Ante lo que dice Yaí aquí, Cuculcán responde con un párrafo que recuerda las sinestesias barrocas que corresponden a la idea de la vida como falsa apariencia, engaño de los sentidos (210):

CUCULCÁN.- No agarro bien el sabor de lo que me dices; pero sabe a reproche de piedras preciosas que se han vuelto mieles de colores, y estoy pegado a tu costado como un mosco a una pálida dulzura de esmeralda y malva, y tus espaldas me dan Oriente de perlas de azúcar, y tus muslos me hacen subir por los rubíes de los guerreros a la alcoba de las constelaciones, bajo los verdes campos de jadeítas de tus manos, que tienen en sus cuencos de nidos, la forma de tus senos casi azules...

Estamos, pues, ante una obra teatral de gran densidad, lo que puede dificultar su recepción[48], de ahí que Asturias posteriormente simplifique su teatro. Si comparamos *Cuculcán* con obras posteriores de Asturias como *Chantaje, Dique seco, Soluna* o *La audiencia de los confines*, veremos que se trata de un teatro menos experimental y, por tanto, más convencional, más comercial.

---

[48] Remito, por ejemplo, a José Luis García Barrientos "Escritura/actuación. Para una teoría del teatro", en *Teoría del teatro*, María del Carmen Bobes Naves (ed.), Madrid, Arco/Libros, 1997.

Patrice Pavis en una serie de textos teóricos recientes[49] se refiere a la interculturalidad como rasgo caracterizador del último teatro occidental; dice, por ejemplo:

> la producción teatral de la vanguardia trata de superar el modelo de la historicidad mediante una confrontación de las culturas más diversas, y de recurrir (no sin riesgo de folclorización) al ritual, al mito y a la antropología como modelo integrador de todas esas experiencias (Barba, Grotowski, Brook, Schechner). (91)

> *El teatro intercultural*, en sentido estricto, crea formas híbridas a partir de la mezcla más o menos consciente y voluntaria de tradiciones de interpretación localizables en áreas culturales distintas. (136)

Tras lo que hemos dicho, está claro que dicha definición encaja de lleno en *Cuculcán* de Asturias, anticipándose en varias décadas a una corriente de teatro posterior, en evidente contraste con el teatro que se hacía en Guatemala por esos años; de ahí su gran valor pero también su incomprensión[50]. Enlazando este capítulo con los otros, finalizo con unas palabras de Carlos Solórzano[51]:

> Asturias no fue, en rigor, un hombre de teatro, pero sí un poeta que buscaba los secretos de la escena, agobiada por los vicios heredados del realismo.
> Su teatro, en este primer escenario de su tránsito, muestra un predominio de las palabras sobre los hechos. Podría decirse que es poesía para ser dicha en voz alta y de ahí deriva su correspondencia con la revolución teatral que

---

[49] *El teatro y su recepción. Semiología, cruce de culturas y postmodernismo.* La Habana, UNEAC. Casa de las Américas. Embajada de Francia en Cuba, 1994.

[50] Puede verse, por ejemplo, Manuel Fernández Molina: "La actividad teatral en Guatemala en la primera mitad del siglo xx", *Latin American Theatre Review*, spring 1996: 131-145 o Francisco Albizúrez Palma: "Génesis y circunstancias del teatro de Asturias", Mónica Albizúrez Gil/ Gloria Hernández López: "El teatro de Asturias: destinos", en *Teatro*, Archivos: 961-973, 1020-1048. Asturias alabó *Quiché-Achí*, del guatemalteco Carlos Girón Cerna, con música de Ricardo Castillo, en "Tizones ardiendo. Teatro guatemalteco de inspiración indígena", *El Imparcial*, Guatemala, 27-8-1947, reproducido en *Teatro*, Archivos: 917-918. *Cuculcán* evoca espectáculos más recientes del costarricense Rubén Pagura o de la panameña Ileana Solís, basados en el *Popol Vuh*; véanse mis reseñas del Festival Iberoamericano de Teatro de Cádiz, en *Latin American Theatre Review*, spring 1991: 147-158 y spring 1993: 171-182.

[51] "Liminar", *Teatro* de Asturias, Archivos: XVI.

inició Antonin Artaud en los comienzos del siglo xx, la cual postulaba la necesidad de alejarse del teatro que exponía solamente la vida de algunos personajes en un determinado ambiente social (Ibsen, Strindberg) y que seguía los principios de Alfred Jarry, la despersonalización de los personajes, la supresión de una sola fábula, y también la supresión de los límites de tiempo y espacio; en suma, la abolición de todos los mandatos de la poética aristotélica y la sujeción a la lógica formal.

Haciendo uso de esa libertad que quería restituir al teatro sus orígenes míticos, me parece que Asturias escribió sus primeras creaciones dialogadas en busca de un teatro que, para él, sería auténticamente americano.

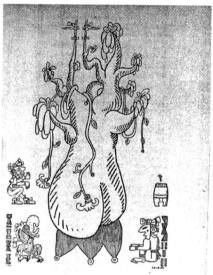

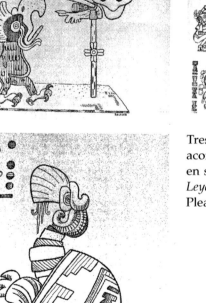

Tres ilustraciones de Toño Salazar que acompañan las páginas de *Cuculcán*, en su primera publicación dentro de *Leyendas de Guatemala*. Buenos Aires, Pleamar, 1948.

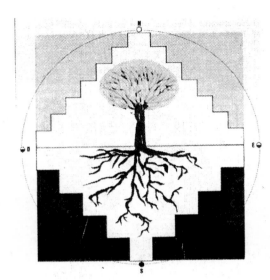

Dibujo del árbol sagrado de la cosmovisión maya, tomado de Miguel Rivera Dorado: *La religión maya*, p. 47.

Debajo: Imagen de un actor-bailarín en el Códice de Dresde, reproducida en estudios sobre el teatro precolombino.

Fotografías de Francisco Rodríguez Rouanet a bailarines de una representación del *Rabinal Achí*, en Guatemala, 1955. Tomadas del artículo de Carroll Edward Mace: "Algunos apuntes sobre los bailes de Guatemala", en *Mesoamérica*, 1981.

Michel Fokine, como Ivan Tsarevich, y Tamara Karsavina, como el pájaro de fuego, en la producción original del ballet "El pájaro de fuego", de Stravinsky, para los ballets rusos, estrenado en el Teatro Nacional de la Ópera de París, en 1910. Tomado de *International Encyclopedia of DANCE*, vol. 3: "The Firebird".

BIBLIOGRAFÍA

1. ASTURIAS (OBRAS Y CRÍTICA)

ASTURIAS, Miguel Ángel:
— (1930): *Leyendas de Guatemala* [primera edición]. Madrid: Ediciones Oriente.
— (1948): *Leyendas de Guatemala* [2ª. edición, recoge por primera vez *Cuculcán*].
Carta de Paul Valéry. Dibujos de Toño Salazar. Buenos Aires: Editorial Pleamar. Colección Mirto dirigida por Rafael Alberti.
— (1995): *Leyendas de Guatemala*. Edición de Alejandro Lanoël. Madrid: Cátedra (Letras Hispánicas 400).
— (1988): *París 1924-1933. Periodismo y creación literaria.* Edición Crítica Amos Segala Coordinador. Nanterre: col. Archivos.
— (²1967): *Teatro 1* (*Chantaje, Dique seco, Soluna, La audiencia de los confines*). Buenos Aires: Losada.
— (2003): *Teatro.* Edición crítica Lucrecia Méndez de Penedo Coordinadora. Nanterre: Signatarios del Acuerdo Archivos ALLCA XX. Université Paris X .
— (1977): *Tres de cuatro soles* [Edición crítica]. Homenaje Aimé Césaire. Prefacio Marcel Bataillon. Introducción y Notas Dorita Nouhaud. Paris: Editions Klincksieck; México, Madrid, Buenos Aires: Fondo de Cultura Económica.
BELLINI, Giuseppe: "Recuperación del mundo precolombino y colonial en la narrativa de Miguel Ángel Asturias". En: *América sin nombre*, Universidad de Alicante, Nº 5-6, diciembre de 2004, monográfico titulado *Recuperaciones del mundo precolombino y colonial*, Carmen Alemany Bay / Eva M. Valero Juan (coord.), pp. 44-52.
CHEYMOL, Marc (1987): *Miguel Ángel Asturias dans le Paris des "années folles"*. Grenoble: Presses Universitaires de Grenoble.
LEÓN HILL, Eladia (1972): *Miguel Ángel Asturias. Lo ancestral en su obra literaria.* New York: Eliseo Torres & Sons.
1899/1999. Vida, obra y herencia de Miguel Ángel Asturias. Exposición organizada por la UNESCO y la Colección Archivos en el marco de la XXX Conferencia General de la UNESCO. Catálogo: *La riqueza de la diversidad*. Centenario del Nacimiento de Miguel Ángel Asturias. Nanterre: Signatarios del Acuerdo Archivos ALLCA XX. Université Paris X, 1999.
OBREGÓN, Osvaldo (2000): "Miguel Ángel Asturias. Hacia un teatro de inspiración indígena". En su: *Teatro latinoamericano, un caleidoscopio cultural (1930-1990)*, Préface Daniel Meyran, CRILAUP. Presses Universitaires de Perpignan, pp. 53-65.
THIERCELIN, Raquel (1989): " Le théâtre de Miguel Angel Asturias: tradition, innovation, modernité". En: *Le Théâtre Latino-Americain, Tradition et Innovation,*

Actes du colloque international réalisé à Aix-en-Provence, Aix-en-Provence, Publications de l'Université de Provence, 1991, pp. 29-38.

UNRUH, Vicky (1994): "From Early Words to the Vernacular Inflection. Vanguard Tales of Linguistic Encounter", cap. 5 de su *Latin American Vanguards. The Art of Contentious Encounters*, Berkeley, Los Angeles, London, University of California Press.

ZALACAÍN, Daniel (1978): "El arte dramático en *Cuculcán* ". En: *Explicación de Textos Literarios*, VII, 1, pp. 37-41.

2. CULTURAS PRECOLOMBINAS, EL *RABINAL ACHÍ* DE GUATEMALA

ACUÑA, René (1978): *Farsas y representaciones escénicas de los mayas antiguos*. México: UNAM.

— (1975): *Introducción al estudio del "Rabinal Achí"*. México: UNAM.

BAUDOT, Georges (1979): *Las letras precolombinas*. Compilación, introducción y notas por Georges Baudot, prefacio de Jacques Soustelle. México: Siglo XXI.

CRAVERI, Michela (1998): *Rabinal Achí. Una lettura critica*. Roma: Bulzoni Editore.

HORCASITAS, Fernando (1974): *El teatro náhuatl. Épocas novohispana y moderna*. México: UNAM.

MACE, Carroll Edward (1981): "Algunos apuntes sobre los bailes de Guatemala". En: *Mesoamérica*, Año 2, Cuaderno 2, Junio, pp. 83-136.

MUÑOZ, Fernando (1987): *El teatro regional de Yucatán*. México: Fernando Muñoz/ Grupo Editorial Gaceta.

Popol Vuh. Las antiguas historias del Quiché. Traducidas del texto original con introducción y notas por Adrián Recinos. México: F.C.E., 2ª edición 1960 (22ª reimpresión 1992).

Rabinal-Achí. El varón de Rabinal. Ballet-Drama de los indios quichés de Guatemala [con la música indígena]. Traducción y prólogo de Luis Cardoza y Aragón. México: Editorial Porrúa, ³1979.

RIVERA DORADO, Miguel (1986): *La religión maya*. Madrid: Alianza.

SÉJOURNÉ, Laurette (1957): *Pensamiento y Religión en el México Antiguo*. México: F.C.E.

Teatro indígena prehispánico (Rabinal Achí). Prólogo: Francisco Monterde. México: UNAM, 1979.

THOMPSON, J. Eric S. (⁷1986): *Historia y religión de los mayas*. México: Siglo XXI.

TORIZ PROENZA, Martha (1993): *La fiesta prehispánica: un espectáculo teatral*. México, D.F.: INBA.

3. OTRA BIBLIOGRAFÍA

CARDOZA Y ARAGÓN, Luis (1986): *El Río. Novelas de caballería*. México: F.C.E.

FERNÁNDEZ MOLINA, Manuel (1996): "La actividad teatral en Guatemala en la primera mitad del siglo XX", *Latin American Theatre Review*, spring, pp. 131-145.

International Encyclopedia of Dance. A project of Dance Perspectives Foundation, Inc. New York-Oxford: Oxford University Press, 1998. Vol. 3: "The Firebird".

LANGOWSKI, Gerald J. (1982): *El surrealismo en la ficción hispanoamericana*. Madrid: Gredos.

IV

Releyendo a Vallejo: Vallejo como dramaturgo busca un camino personal

1. La trayectoria

La ventaja de estudiar a los autores hispanoamericanos de las vanguardias históricas con una mirada de conjunto es poder advertir cómo su manejo de los diferentes géneros literarios y su evolución como escritores poseen rasgos de similitud. No es extraño que así sea, siendo como eran, en su mayoría, amigos o rivales, asistentes a las mismas tertulias o reuniones de café, y seguidores de iguales modelos intelectuales y revistas avanzadas. Si atendemos a la postura que adoptó César Vallejo frente al teatro, hallaremos esto mismo, y si alguna aportación puedo hacer al tema, es observarlo, no como un autor aislado, sino inserto en tendencias de época. Como todos sabemos, Vallejo reside sobre todo en París desde 1923 hasta su muerte, en 1938, con períodos de viajes y estancias en España y otros lugares de Europa. En este período, hay que recalcarlo, París era el centro cultural principal, a nivel mundial, y como tal un lugar de experimentación teatral, donde confluían autores y tendencias que estaban transformando el género dramático, frente a los postulados ya obsoletos del Realismo y el Naturalismo decimonónicos. Es decir, que el escritor de Vanguardia que viajaba París por esos años, tenía que sentirse impactado, como le sucedió a Vallejo, por un quehacer teatral totalmente alejado de aquello a lo que estaba acostumbrado.

Tal como señaló Guido Podestá en uno de sus excelentes libros sobre el teatro de Vallejo (1985)[1], al llegar a París el peruano muestra a través de sus crónicas un interés por el teatro que irá en aumento con el paso del tiempo, hasta dar origen a la escritura de obras dramáticas y a unas apreciaciones al respecto que pueden ser calificadas de ensayos de teoría teatral. Cito a Podestá:

---

[1] *César Vallejo. Su estética teatral.* Véase la bibliografía del capítulo.

Por la lectura del presente trabajo se podrá notar que lo teatral fue ocupando cada vez más la atención de Vallejo en sus últimos años. Iniciado en él a través de la crítica periodística, su interés se fue centrando en la teoría teatral y luego, predominantemente, en la creación dramática. Sus últimos esbozos permiten entrever lo que pudo haber sido la creación de Vallejo de no haber prematuramente fallecido; la renovación que hubiese significado para nuestra escena y hasta para otra más amplia. (18)

Vallejo consideraría, como otros poetas y narradores vanguardistas hispanoamericanos (por ejemplo, Huidobro, Asturias, Carpentier, etc.), que la revolución que estaban implantando en los otros géneros debía de trasladarse al teatro, no sólo por necesaria, sino porque se trataba de un medio que podía transmitir ideas a la mayoría, con un cine todavía incipiente y otros medios como la televisión o internet apenas imaginados.

En su siguiente libro (1994)[2], Podestá profundiza en varios aspectos del teatro de Vallejo. Por ejemplo, describe la situación en que se halla la escena francesa a la llegada del peruano a París:

Vallejo llega a Francia poco después del entierro de Sarah Bernhardt, a quien muchos consideran entonces la mejor actriz habida en la historia del teatro. Bernhardt había abandonado la Comédie Française en 1872 para trabajar por su cuenta. Poco antes de su fallecimiento, alrededor de 1922, comienza a actuar Ludmilla Pitoëff, a quien Vallejo considera superior a Ida Rubinstein y Cécile Sorel en "La conquista de París por los negros" (1925). En 1924, Jacques Copeau cierra el Vieux Colombier, abandona París y se retira a Burgundy. Poco antes comienzan a dirigir un grupo de *régisseurs* franceses formados por Copeau, compuesto por Louis Jouvet, Charles Dullin y Gaston Baty, al que se suma Georges Pitoëff, formado por Vsevolod Meyerhold. [...] Estos *régisseurs* se asocian posteriormente, en 1927, en el Cartel des Quatre. (33-34)

Tal como expone asimismo Podestá, en sus crónicas Vallejo comenta positivamente el paso por París de Luigi Pirandello y su Teatro de Arte de Roma, con *Seis personajes en busca de autor*, en 1925; de *Santa Juana*, de Bernard Shaw, en el mismo año, hacia la que tiene una actitud más ambigua; de *Salomé*, de Oscar Wilde, en 1926; del teatro en *yiddish* de Alexander Granovsky, en 1928. Por otra parte, sus artículos muestran

---

[2] *Desde Lutecia. Anacronismo y modernidad en los escritos teatrales de César Vallejo.*

su gusto por el *music-hall* y escaso aprecio por el teatro francés[3]; como excepción, le llamará mucho la atención *El Dictador*, de Jules Romains, en 1926, y se sentirá molesto por el retraso en estrenar *El juego del amor y de la muerte*, de Romain Rolland, de quien habla en varias ocasiones. Carecemos de observaciones suyas sobre el teatro español coetáneo, pese a su exilio en Madrid. Lógicamente, esto no hace pensar que Vallejo pudiese asistir con frecuencia a los estrenos teatrales durante los años que vivió en París, teniendo en cuenta sus conocidas penurias económicas y el precio de las entradas de los espectáculos[4], pero siendo como era un espíritu inquieto, que se ganaba la vida con sus crónicas parisinas, procuraba estar informado de lo que sucedía en el medio.

Queda claro que Vallejo empieza a cultivar el género dramático con pretensiones profesionales y no como un ejercicio privado o *amateur*, cuando envía su primera pieza escrita, *Les Taupes o Mampar*, a uno de las mejores directores teatrales del momento, Louis Jouvet, solicitando su opinión (y presumiblemente también intentando su puesta en escena)[5]. Andando el tiempo, justificará su dedicación al teatro en cartas a Gerardo Diego, diciendo que lo escribe para obtener una fuente de sostenimiento económico; pero no parece ser ésta la única razón, cuando pide ayuda a Federico García Lorca para poder llevar a las tablas sus obras en España[6]. Tampoco podemos olvidar, como he dicho antes, la capacidad propagandística de la escena. Como he señalado anteriormente[7], el hecho de que estos grandes poetas o narradores traten de trasladar al teatro las novedades que han desarrollado en otros géneros posee una vertiente positiva y otra negativa; la positiva,

---

[3] Por ejemplo, hace menciones negativas o poco interesadas de *El doctor Milagro*, de Robert de Flers; *Bajo el sol de Satán*, de Georges Bernanos; *Orfeo*, de Jean Cocteau; *Chantecler*, de Edmond Rostand; del teatro de Jean Giraudoux. Tampoco le causa una buena impresión *La torche sous le boisseau*, de Gabriel D'Annunzio. Cfr. la edición de sus *Artículos y crónicas completos*.

[4] Véase Podestá 1994: 82-83.

[5] La respuesta del director, el 2 de septiembre de 1930, calificando la pieza de "interesante" pero simultáneamente subrayando su debilidad de construcción, la reprodujo Ballón en *Teatro completo* de Vallejo (1979, t. 1, entre las pp. 16 y 17).

[6] Véanse, por ejemplo, 397-398, 413-414, 425-426 y 428 en la excelente edición de la *Correspondencia completa* de Vallejo por Cabel (2002). Esto lo subraya asimismo Podestá.

[7] En "Planteamientos para un estudio del teatro de las vanguardias en Hispanoamérica" (2002), que figura ampliado como primer capítulo de este libro.

la mayor libertad creativa que les lleva a innovar, la negativa, unas carencias derivadas de su falta de conocimiento real del teatro, que sólo remediarán cuando se empiecen a profesionalizar. Por poner algún ejemplo, es lo que sucederá con Federico García Lorca a través de sus experiencias con La Barraca y sus contactos con Margarita Xirgu y el teatro comercial; o con los mexicanos Xavier Villaurrutia y Salvador Novo, cuando pasen de la práctica juvenil de Ulises y Orientación, a ejercer cargos públicos estatales ligados al teatro y a representar sus obras en salas comerciales.

En el caso de Vallejo, él no llega a profesionalizarse, con la consiguiente falta de experiencia de las tablas, y la recepción de su teatro no ha sido de público, sino que ha llegado tardíamente hasta nosotros como un género leído, publicado tras su muerte por los manuscritos conservados. Hoy, gracias a la labor de su esposa, Georgette, y de varios críticos, como Enrique Ballón Aguirre, Carlos Garayar o el citado Guido Podestá, tenemos una primera visión del corpus dramático de Vallejo, cuya lectura acaba de ser facilitada por la reciente recopilación de su *Teatro completo* (1999), realizada por Ricardo Silva-Santisteban y Cecilia Moreano, en la Universidad Católica del Perú[8].

Las obras teatrales de Vallejo están escritas en el tramo final de su vida, entre 1930 y 1938 –subrayo las fechas–, que coincide con una evolución personal reflejada en los estilos escénicos que emplea. Haciendo un repaso de esas obras podremos ver cómo fue su desarrollo y hacia dónde parece que se dirigía cuando aconteció su muerte; etapas que señala Podestá en sus dos libros[9], pero en cuya interpretación deseo añadir algunas ideas. La constante reelaboración a la que sometió Vallejo su quehacer dramático, hace que presentemos estas apreciaciones como una aproximación, a la espera de una edición crítica de su teatro.

---

[8] Cito el teatro de Vallejo por esta edición. Aunque con un mérito indiscutible, no se trata de una edición crítica que recoja con cuidado las numerosas variantes de los manuscritos.

[9] Véase Podestá 1985: 73-74 y 1994: 177-178, con algunas diferencias. Ricardo González Vigil, en el "Prólogo" al t. 12, *Teatro*, de una edición popular de las *Obras completas* de Vallejo (1992), propone una división de etapas algo distinta, que sería: A) "Iniciación": *Los topos o Mampar*. B) "Teatro de propaganda bolchevique": *Lock-Out, Entre las dos orillas...*, *La muerte*. C) "Reelaboración teatral de argumentos novelescos": *Colacho Hermanos, La piedra cansada*. D) "Esbozos de un nuevo lenguaje teatral": *Sueño de una noche de primavera*, *Dressing-room, Suite et contrepoint*.

Su primera obra, la mencionada *Les Taupes o Mampar*, escrita en francés en 1930 y de la que se conserva sólo una parte, es un drama psicológico burgués, en el que se pone en evidencia el complejo de Edipo del protagonista, quien aparece como lector de Tolstoi. En ella se nombra también a Dostoievski. Este conflicto se asociará al tema de *Suite et Contrepoint*, texto de Vallejo, varios años posterior.

Las piezas teatrales que Vallejo escribe después, entre 1930-1936, *Lock-out* y las distintas redacciones de *Moscú contra Moscú* o *Entre las dos orillas corre el río*, escrita la primera en francés y la segunda en francés y en español, responden a un cambio de estilo, hacia lo que sería un teatro político comprometido. Siguiendo el camino iniciado por Romain Rolland, con sus reflexiones sobre *El teatro del pueblo* (1ª ed. 1903), Vallejo trata de imitar el teatro político de Piscator o del primer Brecht, Meyerhold y los constructivistas rusos; que pudo contemplar o del que pudo tener noticias en sus tres viajes a Rusia y a otros lugares de Europa. Jorge Puccinelli, en su última edición de *Artículos y crónicas completos de Vallejo*[10], nos brinda un estupendo mapa de los viajes europeos del escritor entre 1923 y 1938, donde cabe destacar su paso por Berlín, otro de los centros teatrales del momento.

Al igual que hizo con París, en su libro *Desde Lutecia...*, Guido Podestá explica el panorama teatral ruso, en la época en que Vallejo realiza sus viajes allí. A modo de resumen, extraigo unos párrafos:

> En 1920, Lunacharsky, nombra secretario del departamento de teatro a Meyerhold quien promueve oficialmente un tipo de teatro que llama "octubre". Este "teatro octubre" tiene las siguientes características: (1) el director asume el rol más preponderante; (2) se prefieren adaptaciones o improvisaciones a dramas ya escritos que, de ser usados, son tomados como materia prima; (3) se borran los límites entre el teatro y la sala, los actores y el público; (4) en lugar de diálogos dramáticos se prefiere la pantomima, la danza, la música, la acrobacia, es decir, todo cuanto puede ser asociado técnicamente con el circo; y (5) se rechaza completamente el realismo en la escenografía. Poco tiempo después de asumir el cargo, Meyerhold se ve obligado a abandonarlo por discrepancias con Lunacharsky y otros miembros del Partido Comunista que, como Trotsky, van a calificar de elitistas, experimentos como los mencionados. [...] Las concepciones de Meyerhold, en lo tocante a la actuación y al decorado, adquieren mucha popularidad.

---

[10]   2002, I, 33. Los principales locales teatrales de París, en la página siguiente.

Sin embargo, durante el primer plan quinquenal (1927-1932) –que coincide con los viajes de Vallejo a Rusia–, la Proletkult, a la que está vinculado Eisenstein y el Teatro de la Revolución, al que está asociado Meyerhold, están perdiendo la influencia que solían tener. (88-89)

Vallejo llega a Rusia cuando Lunacharsky está a punto de abandonar el comisariado de educación y cuando posiciones como las asumidas por la Proletkult son intensamente criticadas. Lo mismo ocurre con los experimentos de Meyerhold, a pesar de que muchas de las convenciones planteadas por el "teatro octubre" se han hecho standard. Entre 1928 y 1932, estas tendencias pierden el poco poder que les queda. Por el contrario, durante los mismos años hay una revalorización de las concepciones y métodos de Stanislavsky. A su vez, los teatros 'académicos' recuperan el prestigio que habían solido tener. Este período coincide también con una política cultural en la que el estado soviético promueve a quienes Norris Houghton llama "propagandistas", debido al énfasis que ponen en narrar lo que hay de nuevo en Rusia, en la construcción del socialismo. La "estética del trabajo", en la cual hay una fascinación por la industria y por la heroicidad del trabajador, forma parte de esta campaña. (89-90)

En una crónica de 1931, "El nuevo teatro ruso", recogida con ligeras variantes en su reportaje *Rusia en 1931*, como señala Puccinelli, Vallejo revela su admiración por la escenografía de ese teatro que intentará copiar para sus obras. Describe el peruano la puesta en escena de *El brillo de los rieles*, de Mikháylovich Vladímir Kirshón (1902-1938), a la que asistió en uno de sus viajes a Rusia[11]. Doy algunos fragmentos:

Al levantarse el telón, irrumpe en la escena un estridente ruido de caldería. La acción de la pieza pasa en un centro de mecánica para transportes. El decorado es de una fuerza y una originalidad extraordinarias. Mientras los demás teatros del mundo no salen de los consabidos decorados a base de residencias burguesas, castillos condales o, a lo sumo, de alquerías pastoriles, he aquí que los *régisseurs* rusos movilizan en la escena, por primera vez en la historia, las fábricas e instalaciones electromecánicas, es decir, la atmósfera más pesada y, a la vez, más fecunda del trabajo moderno. Hela aquí, en su auténtica y maravillosa realidad, con todos sus resortes estéticos y su dinámica creadora. Es la *mise-en-scène* del trabajo industrial. El aparato de la producción.

---

[11] Podestá piensa que debió de ser hacia 1928 ó 1929, durante uno de los dos primeros viajes.

Las escenas y los actos transcurren en las asambleas obreras, ante una locomotora en construcción, en la dirección de la fábrica, en las habitaciones de los trabajadores, en los clubes obreros[12].

Dado que él no sabe ruso, tal como reconoce en la misma crónica, debe contentarse con unas impresiones visuales y auditivas y lo que le expliquen sus guías sobre el drama.

Lock-out, cuyo título se refiere al inminente cierre de una fábrica con la consiguiente ruina de los trabajadores y que propone la huelga como arma de combate, tiene como escenario principal el interior de una fábrica metalúrgica, que podría tratarse, tanto de un lugar real pretendido, como de su recreación entre bambalinas. Se oyen como fondo musical el ballet *Le pas d'acier*, de Sergei Prokofiev[13], ruido de maquinaria funcionando y, al final de la obra, el canto de *La Internacional*. Vallejo saca pancartas a escena y los personajes son en su mayoría obreros, poco diferenciados entre sí. Entre los actores hay niños, lo cual sirve para denunciar los sufrimientos de la infancia.

En los cambios de decorado de las cinco partes del drama, en los que copia lugares mencionados de *El brillo de los rieles* (local sindical de asamblea, habitaciones de obreros), cabe resaltar el empleo de escenario múltiple y de un ambiente de cabaret ligado a los patronos al inicio de la Escena IV. Vallejo ha aprendido, observando como espectador, la importancia de los juegos de luz para dirigir la acción y utiliza una paleta cromática que tiene que ver con el Expresionismo, con predominio de gris, negro y fulgores sangrientos. Tal como sucede al final del Acto IV (Cuadro III), de *En la luna* de Huidobro (publicada en 1934), la salida del sol con que termina *Lock-out* posee un valor simbólico, como inicio de una nueva era[14].

De esta obra deseo destacar además otras dos cuestiones: El Ministro socialista que interviene en ella como mediador con los obreros, es visto

---

[12]   *Artículos y crónicas completos*, t. II, 891-892.

[13]   Entre 1922 y 1936 el compositor ruso está instalado en París, habiéndose reconciliado con la Revolución desde 1930. Este ballet, que sobresale por su modernidad, fue realizado para Diaghilev. Véase la primera acotación de la obra.

[14]   Hay otros aspectos comunes. Nelson Osorio (1994) trata de "Vallejo y Huidobro en dos textos teatrales de 1934", en Cornejo Polar (ed.): *Vallejo. Su tiempo y su obra*, Actas del Coloquio Internacional, Lima, Universidad de Lima. En Carta a Gerardo Diego de marzo de 1932, Vallejo le dice: "Con Juan y Huidobro nos vemos frecuentemente" (*Correspondencia completa*, 421).

como un hombre corrupto (Escena II), cuyas palabras resultan demagógicas; en una crónica suya de 1927, Vallejo había comentado la osadía de Jules Romains, quien en *El Dictador*, trataba de "un diputado socialista que derriba con un gran discurso un ministerio burgués y, llamado a formar el nuevo gobierno, se convierte instantáneamente en un dictador y de los más absolutistas el mundo" (378)[15]. Al final de la obra se dice que el pueblo entero ha respaldado la huelga general; un delegado sindical hace notar, hablando de este Ministro, que "él sabe mejor que nadie, que de una huelga general puede surgir una guerra civil" (111), lo que parece relacionado con la situación española de esos años. Asimismo, me parece particularmente interesante el personaje colectivo de "La Masa", del que me ocuparé en la segunda parte del capítulo.

Como sucede siempre con Vallejo, la interpretación simplificada de *Moscú contra Moscú* o *Entre las dos orillas corre el río*, tiene poco que ver con una lectura atenta de la misma. Obra asimismo de corte realista, plantea la difícil integración de los miembros privilegiados de la antigua sociedad rusa en el nuevo orden establecido tras la Revolución bolchevique, centrándose en Varona Polianov, matriarca de una familia aristocrática, y en su marido, el Príncipe Osip, en contraste con la más fácil adaptación de sus hijos, que pertenecen a la siguiente generación. Según Georgette Philippart, otros títulos de la pieza fueron *Varona Polianov o Polianova* (subrayando el papel de la madre) y *El juego del amor y del odio, El juego del amor, del odio y de la muerte, El juego de la vida y de la muerte*[16]. El drama ha sido asociado a la novela *La madre*, de Máximo Gorki. Por la misma fuente sabemos que se leyó en España, en 1931, donde no gustó, y posteriormente en París, donde sucedió otro tanto; transformada como *Entre las dos orillas corre el río*, Vallejo intentó en vano que la llevara a escena Gaston Baty, otro director del famoso Cartel de los Cuatro y, al parecer, de ella pensaba extraer el peruano un guión de cine en 1935. La condición trágica de la obra procede, como he dicho, de Varona Polianov y de su marido, el Príncipe Osip: Ella se debate internamente entre su origen y el amor a su familia, para acabar matando en un arrebato pasional a su hija Zuray, al ver encarnada en ella la Revolución que ha transtornado sus vidas (*Entre las dos orillas*, acto III)[17]. Osip se integra todavía menos

---

[15] *Artículos y crónicas completos*, t. I, 375-378.

[16] *Carta* de Georgette a *Oiga*, 1974; véase *Teatro completo*, 1979, t. 1, 95. Nótese el parecido de uno de los títulos con el de una pieza teatral de Romain Rolland.

[17] Es el final de esta versión; véase Ballón (1979), Silva-Santisteban y Moreano (1999).

en los cambios sociales, siendo presentado como un hombre inactivo, víctima del alcoholismo (es decir, lo contrario de una moral revolucionaria que exalta el trabajo). La denuncia del alcoholismo como lacra social, es un tema recurrente en la literatura y teatro socialistas, así como en los políticos de la clase trabajadora[18].

El "Prólogo" dramático que inicia *Entre las dos orillas* la sitúa *"pocos años después de la revolución"*, pero su desarrollo apunta claramente al período de Stalin. Recordemos que, a partir de 1934, con la imposición de la doctrina del realismo socialista en arte y las noticias de la dura represión estatal rusa, Vallejo empezará a mostrar reticencias ante el sistema soviético[19]. De hecho, en uno de los Cuadros de la obra, Osip, ebrio, se hace pasar audazmente por Stalin, burlándose de otros. Entre los personajes hallamos a un niño de 3 años (que correspondería a una tercera generación, entre padres, hijos y nietos) que se llama "Massa" (el personaje colectivo de *Lock-out* era "La Masse", en francés). A lo largo de la obra hay diálogos interesantes que hacen pensar en las reflexiones de Vallejo en *El arte y la revolución*. El escenario en el que transcurre sobre todo la obra es el interior de una habitación pobre donde vive la antaño aristocrática familia, lo que contribuye a crear un clima de asfixia.

La Mort (¿1930?), escrita en francés, cuyo asunto está extraído de la anterior, es definida por Vallejo como una "Tragedia en un acto" y presenta el destino del Príncipe Osip, quien se niega a abandonar el *"mitad monasterio, mitad hospicio"* donde se halla recluido, para integrarse en el sistema de trabajo comunista. Las palabras de los personajes subrayan el conflicto familia *versus* sociedad antes expuesto; por ejemplo, (utilizo la traducción de Renato Sandoval):

> OSIP, *profundo, compenetrado [a VARONA]*
> ¡No! La Revolución no es la caída del zar ni la toma del poder por los obreros. Lo que ahora ocurre en el corazón de las familias y de la gente, eso es la Revolución[20].

---

[18] Cfr., por ejemplo, Samuel, Maccoll, Cosgrove 1985.

[19] Traté de esta cuestión, apoyándome en abundantes trabajos, en mi artículo sobre "El Unanimismo y la poesía de César Vallejo"; véase la bibliografía.

[20] Ed. Silva (1999), I, 191. Este párrafo está casi igual en el acto III de *Moscú contra Moscú* (451): "OSIP, *profundamente convencido*. La Revolución no es la caída del Zar ni la toma del poder por los bolcheviques. Es lo que sucede actualmente en el corazón de la familia y de la gente. ¡Eso es la Revolución!."

La disyuntiva entre el bienestar individual y el colectivo que se deba-
tía en la obra precedente y en *La Muerte* se repite asimismo en el cuadro
El Juicio Final –que aparece con algunas variantes como Prólogo en la
última versión de *Entre las dos orillas corre el río*–, donde el chamarilero
Atovof se confiesa de haber acabado con la vida de un hipotético asesino
de Lenin, lo cual, de no ser así, es decir, de haberlo asesinado, hubiese
alterado el rumbo de la historia. La reflexión sobre las verdades últimas
espirituales ante la proximidad del fallecimiento, en oposición al materialismo comunista, se halla asimismo en "Sabiduría", relato de Vallejo
publicado en *Amauta* como "capítulo de una novela inédita"[21].

Colacho Hermanos o *Presidentes de América*, de hacia 1934, escrita en
francés y en español, corresponde a un teatro realista de denuncia política que se traslada de las realidades europeas a las americanas, con la
intención de enseñar lo que es América a los europeos. Ya Ballón había
señalado la relación de esta obra con la novela de Vallejo *El Tungsteno*
y con artículos periodísticos suyos, como los aparecidos en *Germinal*,
en París, en 1933, bajo el título de "¿Qué pasa en el Perú?"[22]. La obra
recrea la supuesta trayectoria político-social de los hermanos Acidal y
Cordel Colacho, quienes ascienden de tenderos, en una humilde aldea
de los Andes peruanos, hasta llegar a ostentar el cargo, indistintamente
ambos, de Presidente de la República, con el apoyo del capital norteamericano. La exageración de la obra, al servicio de la crítica política,
no alcanza a mi juicio el nivel de abstracción propio de la "farsa",
término que pone como subtítulo Vallejo en los manuscritos; sólo se
llega a ese tono farsesco al final de la misma, cuando los hermanos
Colacho se ven destituidos por un golpe de Estado y sus instigadores
pugnan cómicamente por sentarse en el mismo sillón presidencial.
Nuevamente cabe establecer parecidos y diferencias respecto a *En la
luna*, de Huidobro. La obra está dividida en cuadros, con cambios en
la escenografía realista que se deben a la escalada social de la pareja
protagonista, en la cual se centra la obra. En más de una ocasión se
ha tratado de la capacidad de Vallejo para reproducir los distintos
niveles de español usados en el Perú. Cabe añadir que, aunque Vallejo
dijese al referirse a esta obra que poco tenía que ver con el ambiente

---

[21] *Narrativa completa* (1999), 280-281.

[22] *Teatro completo*, t. 2, 11. Otra crónica relacionada, que se incluye en la edición de
Silva, es "Las elecciones peruanas", publicada en *L'Amérique Latine*, París, hacia 1936.

mexicano, no parece casual que uno de los generales golpistas del desenlace se llame el Coronel Tequilla, y que a él se oponga el Doctor Alberto Azuela (recordemos el descubrimiento de la magnífica *Los de abajo*, de Mariano Azuela, a raíz de la polémica mexicana de 1924, cuando vuelve a publicarse la novela). Para mí, el hecho de que los dos hermanos Marino de *El Tungsteno* se mantengan como la pareja de los Colacho en esta obra teatral, revela una intencionalidad psicológica que aún no ha sido suficientemente resaltada.

Vallejo concluye sus "Notas sobre una nueva estética teatral", de hacia 1934, con un feroz ataque a Artaud; sin embargo, estos mismos apuntes recuerdan los célebres Manifiestos del marsellés, con sus propuestas para un nuevo teatro. En una de estas "Notas" dice Vallejo:

> –¿Los personajes deben recitar lo que quieren? Nada de texto impuesto por el autor. ¿Nada de réplicas aprendidas sino, sobre todo inventadas e improvisadas por el actor, siguiendo solamente un marco de diálogo, un límite, en profundidad y en extensión, propuesto por el autor? ¿Un esquema? 1932: un grupo teatral intentó ya la experiencia.

Y, en otro texto suyo de teoría teatral ("Temas y notas teatrales"), de 1931-1932, había sugerido:

> –(*Una serie de escenas burlescas y bufonescas, como los dibujos animados, libres e imaginativos, quizás renovaría el teatro moderno*).

Lo cual coincide con los considerados esbozos para producciones teatrales o cinematográficas que quedaron entre los papeles de Vallejo a su muerte y que se suelen datar entre 1934 y 1937. No obstante continuar el compromiso político, ahora hay un apartamiento del realismo en aras de la experimentación. Otra posibilidad de interpretación de estos textos es que no se trate de esbozos, como suele denominarlos la crítica, sino de pantomimas, género cultivado por los dramaturgos de Vanguardia[23].

Le songe d'une nuit de printemps, escrito en francés, encubre, tras un irónico juego de palabras con el título de la comedia de Shakespeare, un

---

[23] Véase Emilio Javier Peral Vega (2001): *Formas del teatro breve español en el siglo XX (1892-1939)*. Pese a diferencias de estilo, pueden compararse estos textos con los de Tomás Borrás (1931): *Tam.Tam. Pantomimas. Bailetes. Cuentos coreográficos. Mimodramas*, Madrid-Barcelona-Buenos Aires: Compañía Iberoamericana de Publicaciones.

drama social representado por obreros en paro, en contraste con personajes burgueses. Es reflejo de la depresión económica internacional,
que llega a Francia hacia 1930.

Dressing-room, en español, es un texto en que Vallejo enfrenta al
hombre y al personaje: Chaplin frente a Charlot, como explotador y
explotado. La relación con Pirandello es evidente. En su crónica de 1928:
"La pasión de Charles Chaplin"[24], Vallejo había elogiado la película *La
quimera del oro*, contrastando la condición de multimillonario de Chaplin
con el contenido revolucionario de sus films; sobre ella comenta: "El actor
aquí, como en ninguna otra de sus películas, es absorbido totalmente
por el personaje" (560). El final del texto es el asesinato de Chaplin por
Charlot. La atracción que ejerce Chaplin, con su célebre creación, es
común en los intelectuales del momento y son numerosas las obras que
se inspiran en él; el interés de los autores de Vanguardia por el cine es
de sobra conocido.

La mencionada *Suite et contrepoint*, pese a su título francés, en español, expone los problemas de pareja mencionados de Mampar y Lory.
El resumen titulado *Presidentes de América* está ligado a la obra teatral
Colacho Hermanos. Al parecer se extravió otro esbozo de Vallejo titulado
¡Alemania despierta!, referido a la crisis económica y política de ese país
en la época[25]. Aunque todo ello posee interés, no me extiendo más sobre
el tema[26].

Antes de poder realizar un proyectado viaje de vuelta al Perú, que
quedaría frustrado por la enfermedad y la muerte, Vallejo escribió una
última obra de teatro en español, *La piedra cansada*, de hacia 1937[27]. Obra
de temática indígena, a ella dedicó bastantes páginas el peruano Eduardo
Hopkins en un magnífico artículo (1993) y la estudió también Podestá en

---

[24] *Artículos y crónicas completos*, t. II , 560-562.

[25] Paradójicamente, he hallado que "Despierta, Alemania", será usado por Dietrich
Eckart, poeta del nacionalsocialismo, en una de sus obras, y se convertirá en lema de
este movimiento fascista.

[26] Remito, nuevamente a Podestá, quien posee un artículo titulado "La cinematización del teatro en *Dressing-Room* de César Vallejo" (en la bibliografía) y vuelve a tratar
de estas obras en *Desde Lutecia*.

[27] Según Georgette, en *Teatro completo*, 1979, t. 2, 147-148, Vallejo escribe la obra en
noviembre de 1937, según lo cual sería posterior a *España, aparta de mí este cáliz*. González
Vigil (véase la nota 9 de este capítulo) data la obra hacia 1934, lo que repercute en la
interpretación de la trayectoria teatral de Vallejo.

su libro *Desde Lutecia...*(1994)[28]. La primera edición que hicieron de ella
Enrique Ballón y Georgette Pilippart fue muy criticada por sus errores,
que la convierten en una pieza confusa, de carácter onírico[29]. Esta obra
fue pronto relacionada con un relato indigenista de Vallejo titulado *Hacia
el reino de los sciris,* donde se nombra la leyenda de la piedra cansada que
da título al drama, recogida en un pasaje de los *Comentarios reales* del
Inca Garcilaso y en una tradición cuzqueña de Eleazar Boloña, quien
fuera Profesor de Vallejo en la Universidad de Trujillo y a quien dedicó
su tesis de bachillerato sobre *El romanticismo en la poesía castellana*[30].
Tanto Hopkins como Podestá relacionan el indigenismo de la obra con
los escritos de Luis E. Valcárcel. Podestá recuerda el intercambio epis-
tolar entre Vallejo y Valcárcel, hasta que el último viaja a París en 1937,
como organizador del pabellón peruano en la Exposición Internacional,
y tienen la ocasión de conocerse; y cómo durante el mismo período en
que Vallejo tiene que salir exiliado de Francia a España, su íntimo amigo
Juan Larrea había viajado al Perú, trayendo a su regreso una colección de
objetos y fotografías que, a petición del célebre antropólogo Paul Rivet, se
expondrían en el Museo de Etnografía de París. Vallejo no conocía Cuzco
ni Puno, de modo que tiene que usar esas referencias, otras lecturas y
su imaginación para suplir esta carencia, dedicando varias crónicas de
1935 y 1936 al Perú incaico.

Hopkins explica brevemente la importancia del concepto de piedra en
la cultura incaica[31] y su presencia en la poesía de Vallejo, recordando otra
mención de la piedra cansada en *Colacho Hermanos,* cuando don Rupe
vaticina el futuro de los protagonistas. Los asuntos de *Hacia el reino de los
sciris* y de *La piedra cansada* tienen poco que ver entre sí, pues mientras
que el relato se refiere a los vaticinios sobre la grandeza del Imperio en
época de Huayna Cápac y su posterior decadencia y conquista espa-

---

[28] Véase la bibliografía. No he llegado a manejar Guido Podestá (1994): "El Perú
desde Europa: el caso de *La piedra cansada",* en Cornejo Polar (ed.): *Vallejo. Su tiempo y su
obra,* Actas del Coloquio Internacional, Lima, , Universidad de Lima.

[29] La impresión que causa su lectura en esta edición, cambia notablemente si se lee
a través de otras. Esto explica la modificación de mi juicio al respecto.

[30] Los textos se incluyen en la edición de Silva. Hopkins, basándose en Luis E. Valcárcel, sitúa el origen de la leyenda en la construcción de Ollantaytambo (269).

[31] Por ejemplo, en la obra dice SALLCUPAR (un cantero): "La piedra es la sustancia
de la vida universal. ¡Dios de piedra es el Inti, hombres de piedra son los quechuas;
animales y plantas son de piedra, y hasta las mismas piedras son de piedra!" III, 50.

ñola, la obra teatral recuerda inmediatamente el famoso drama quechua colonial *Ollantay*, convertido por esos años en todo un símbolo de las raíces indígenas de América e hito del desarrollo escénico del período, gracias a la versión de Ricardo Rojas en Argentina, estrenada en 1939[32]. Como refuerzo de esta interpretación, puedo mencionar una edición contemporánea de *Ollantay*[33], con "Prólogo" de Ventura García Calderón, a quien Vallejo alaba mucho[34], donde el primero sostiene:

> No me cabe duda de que el fondo del drama y sus mejores cantos (hua-ynos y yaravíes) son anteriores a la conquista. Su protagonista es por anti-cipación el primer revolucionario, el primer insurrecto hispanoamericano, el desacato encarnado –y tan bien lo comprendieron así las autoridades españolas que prohibieron las representaciones populares de la obra en los últimos años del virreynato. Para admirar su alcance repongámonos con la imaginación en el inmenso imperio comunista de los Incas. (p. III)

En *Desde Lutecia...*, Podestá analiza los parecidos y diferencias entre *La piedra cansada* y el *Ollantay*. El asunto de *La piedra cansada* es el siguiente: El plebeyo Tolpor se enamora de la ñusta Kaura. Para evitar este amor prohibido intenta asesinarla. Creyéndola muerta, desesperado, se con-vierte en un guerrero temerario, quien por sus victorias será elevado a la condición de Inca. Arrepentido, renuncia al trono y provoca su pro-pia ceguera, convirtiéndose en mendigo. Finalmente, se encuentra con Kaura, a quien no reconoce. Ya Ballón había señalado el parecido con *Edipo rey*, la tragedia de Sófocles, con Tolpor, que, para hacer penitencia, se lesiona transformándose en un mendigo ciego. Hopkins ve en su ceguera una "mutilación iniciática" (1993: 298), destacando en la obra lo

---

[32] Véanse, por ejemplo, las páginas que le dedica Luis Ordaz en *Los poetas en el teatro*, capítulo 90 de la *historia de la literatura argentina*.

[33] Véase la bibliografía, ejemplar en la Biblioteca Nacional de Madrid. Se trata de una edición de coleccionista, de 300 ejemplares numerados, encuadernada en una tela tosca, que semeja yute, color crema. Las ilustraciones, de gran modernidad, como la presentación en general, muestran un influjo cubista.

[34] Dice Vallejo, en una crónica de 1924 que le dedica (*Artículos y crónicas completos*, t. I, 62): "cuando se tiene un talento como el de Ventura García Calderón, no hay página perdida; en todas partes donde él aparece, hemos únicamente de buscar, no el báculo de la caricatura en cuestión, sino el puro metal en que aquél está hecho y repujado". Él mismo reconocía en otro lugar, que el patrocinio de los hermanos García Calderón era necesario para los peruanos que deseaban abrirse camino en París.

ritual[35]. En ella son constantes los augurios funestos. El propio Vallejo explica dentro de la obra[36]:

> Hay gentes que, una vez que han visto un mendigo, les queda para siempre una perenne gana de llorar. En todo caso, los mendigos carecen de parientes, ocultan el lugar donde nacieron y hasta se afirma que no son seres normales como el común de los quechuas, sino que son "dobles" de personas ausentes en trance de morir. "Dobles", "triples" o "céntuplos", ya que, como tú sabes, cuando morimos, el hombre se multiplica en innumerables criaturas, que se esparcen en todas direcciones por el mundo.

En *La piedra cansada* hay personajes que actúan a modo de coro y la escenografía es monumental, con las inmensas piedras de Sajsahuamán de fondo y efectos luminosos, lo cual hace pensar en un enfoque operístico[37]. Podestá recuerda cómo en una de sus crónicas[38] Vallejo se refiere a un recital de música peruana en París, a cargo de varios músicos cuzqueños que se inspiran en los sonidos indígenas, haciendo, en su opinión, algo similar a lo realizado por Stravinski, con la estepa rusa, o Erik Satie, con las piedras druídicas. En este grupo de músicos destaca Alomía o Alomías Robles, autor de la ópera *Illa Ccori* y de las zarzuelas *El cóndor pasa* y *Ballet inca*. El mismo crítico (213-214) enumera las abundantes intervenciones musicales de *La piedra cansada*; si nos fijamos en ellas, notaremos que suelen situarse al inicio de los cuadros, reforzando el impacto visual de los mismos, con un uso intercalado de la palabra que corresponde a la construcción de una zarzuela. Otro aspecto que parece importante en *La piedra cansada* es la compenetración entre hombre y paisaje, de tal manera que la majestuosidad de los decorados viene a ser una manera de engrandecer el pasado incaico[39]. Vallejo utiliza un considerable repertorio de voces quechuas, que dificultarían la comprensión a espectadores de otros ámbitos.

---

[35] "La contextura de seres excepcionales adjudicada a los mendigos tiene que ver con lo desconocido de sus orígenes y, sobre todo, con la particularidad de ser *dobles* de otros hombres. [...] La concepción del doble formaba parte de la mentalidad andina prehispánica" (304).

[36] T. III, acto III, cuadro XI, 68.

[37] Como hace ver Podestá, Vallejo en esto ha cambiado, pues anteriormente había mostrado su rechazo a la fusión de las artes, lo wagneriano.

[38] "La historia de América", 1926, *Artículos y crónicas completos*, t. I, 222-230.

[39] Aunque Vallejo, como mestizo que es, vea de modo distanciado al indio contemporáneo, en crónicas de 1935 y 1936 se enorgullece del pasado indígena, cuyas enormes

El texto puede evocar también las "Notas sobre una nueva estética teatral", donde Vallejo empieza afirmando: "El teatro es un sueño"; "Un actor debe advertir al público de lo que se trata, de que va a asistir a un sueño en forma de pieza y que no hace falta que los espectadores se sorprendan de lo que van a ver"; "El juego escénico así concebido debe apoyarse en un juego de luces y sombras". Con ello, tal como continúa diciendo en el mismo sitio, se intenta transmitir un clima emocional, independientemente de la coherencia narrativa. Obra ésta peculiar, vinculada al indigenismo vanguardista de otros peruanos[40], que supone el inicio de un nuevo rumbo en el camino de exploración teatral de Vallejo, pero que la muerte del gran autor nos impidió conocer como debiéramos.

2. EL CONFLICTO ENTRE INDIVIDUO, FAMILIA Y COLECTIVIDAD EN EL TEATRO DE VALLEJO

Romain Rolland, en su famoso libro *El teatro del pueblo* (1ª ed. 1903), plantea la necesidad de apartarse de lo que es el teatro burgués, escrito por y para esta clase social, y de encaminarse hacia lo que sería un teatro popular, que no sea el simple acercamiento de las obras teatrales a la clase proletaria, sino un teatro emanado del pueblo, con asuntos propios de él[41]. Tal como explica el mismo Rolland, desde fines del siglo XIX varios hombres de teatro intentarán la empresa, que requiere unas condiciones materiales y morales. En su análisis de lo que debe ser el teatro popular, revaloriza el melodrama, como un género adecuado para él. Este libro de Rolland obtuvo una gran acogida en la época, convirtiéndose en fuente de inspiración para una serie de teatros populares[42].

---

construcciones pétreas admira. Véanse "Los Incas, redivivos", "Recientes descubrimientos en el país de los Incas", "El hombre y Dios en la escultura incaica".

[40]   Trinidad Barrera (2004) hace un panorama resumido del indigenismo vanguardista del Perú.

[41]   He manejado una edición en francés, véase la bibliografía. En ella, Rolland afirma: "Il s'agit d'élever le Théâtre par et pour le Peuple. Il s'agit de fonder un art nouveau pour un monde nouveau" (p. xii).

[42]   Véase, por ejemplo, Samuel; Maccoll; Cosgrove 1985 y, para el ámbito hispanoamericano, Obregón 2000. En España, Jacinto Benavente también propone, a su manera, *El Teatro del Pueblo* (1909), haciéndolo independiente del público (es decir, gratuito) y llamando a los poetas para su consecución.

Más adelante, sin embargo, la propuesta de Rolland se considera insuficiente. Los dramaturgos de izquierdas piensan en un teatro más afín a las ideas comunistas, con lo que surge la teoría de un teatro revolucionario[43]. Los modelos de este nuevo teatro serán hombres de teatro de Rusia tras la Revolución bolchevique y directores progresistas, como el alemán Erwin Piscator (1893-1966), cuyo libro *El teatro político* (1929) será muy pronto traducido y publicado en España, en 1930[44]. En esta segunda fase, el teatro de izquierdas busca llegar a la "masa", denominándose también un "teatro de masas" o "teatro proletario". Así, Ramón J. Sender publicará en España, en 1931, su *Teatro de masas*, donde pone como modelo el drama documental de Piscator[45].

Si en la década de los años 20 del pasado siglo la avanzada política en el teatro buscaba ser simultáneamente una vanguardia técnica, tras la imposición de las ideas del realismo socialista en Rusia, definido como tal en 1934, se exigirá una sencillez de recursos, con la intención de llegar a la mayoría.

Como hemos visto, la evolución de las teorías teatrales de izquierdas conlleva la asimilación del concepto de "masa" como protagonista y receptor de las obras, término de la Psicología social, que conviene definir, y que será utilizado de manera positiva o negativa de acuerdo con la posición ideológica de quien se ocupe de él. Recordemos que en el marxismo y sus realizaciones políticas el bienestar del individuo se sacrifica en aras del avance social.

---

[43] El propio Rolland recopila poco después varias obras suyas con el título *Teatro de la Revolución*. Luis Araquistain, quien se ocupa del "Prólogo" en la traducción del anterior al español (1929), señala la diferencia: "En mi entender, el error de Romain Rolland y demás reformadores del arte dramático contemporáneo fué ver en el pueblo una simple clase social, equivalente a la que suele llamarse clase proletaria o desheredada, por contraposición a la burguesía, en vez de tomarlo como idea de totalidad, si bien distinta de país, que es concepto geográfico, y de nación, que es concepto entre político y biológico, un término medio y a veces una fusión entre el Estado y el pueblo. Todos, en el fondo de nuestro ser, somos pueblo" (10). Para Araquistain, el verdadero teatro del pueblo no procede de Francia, sino de Rusia.

[44] César de Vicente Hernando subraya esto en la "Advertencia" a su edición del libro, en el 2001. Afirma que fue empeño del escritor José Díaz Fernández, quien en su ensayo *El nuevo romanticismo*, llamaba la atención sobre el trabajo de Piscator.

[45] El libro está dedicado por el autor "a la labor de los amigos que en Madrid y en Barcelona trabajan al rojo –al rojo de fragua– nuestro proyecto de teatro de masas" y concluye: "Sustituyamos [...] la retórica por la mecánica, la 'distinguida concurrencia' por la asamblea, el 'público' por la masa, el pueblo por el proletariado".

La definición del concepto de "masa" y el desarrollo teórico del mismo tuvo como referente el libro del francés Gustave Le Bon (1841-1931) *Psicología de las masas*, publicado por primera vez en 1895[46]. Tomo de él su explicación:

> En su acepción corriente, el vocabo "masa", en el sentido de muchedumbre, representa un conjunto de individuos de cualquier clase, sean cuales fueren su nacionalidad, profesión o sexo, e "independientemente" de los motivos que los reúnen.
>
> Desde el punto de vista psicológico, la expresión "masa" asume una significación completamente distinta. En determinadas circunstancias, y tan sólo en ellas, una aglomeración de seres humanos posee características nuevas y muy diferentes de las de cada uno de los individuos que la componen. La personalidad consciente se esfuma, los sentimientos y las ideas de todas las unidades se orientan en una misma dirección. Se forma un alma colectiva, indudablemente transitoria, pero que presenta características muy definidas. La colectividad se convierte entonces en aquello que, a falta de otra expresión mejor, designaré como masa organizada o, si se prefiere, masa psicológica. Forma un solo ser y está sometida a la *ley de la unidad mental de las masas*. (27)

La proyección de las ideas de Le Bon es tal, que Sigmund Freud lo toma como base para su estudio *Psicología de las masas* (1921), donde, de un modo un tanto contradictorio, corrobora y corrige las tesis del francés. En este libro Freud mencionará asimismo a otro de los pilares de la Psicología social, William McDougall, quien distingue entre la masa desorganizada (*crowd*, en inglés) de la organizada (*group*)[47]. Todas estas nociones incidirán en la literatura y el teatro europeo de las primeras décadas del siglo XX; por ejemplo, en la concepción del "Unanimismo", corriente literaria francesa de la que me ocupé en otro lugar como un factor de interés para la comprensión de la poesía de Vallejo[48]. Evoco ahora, como muestra, su célebre poema "MASA" (1937), en *España, aparta de mí este cáliz*:

---

[46] Cito por una traducción española de 1983. En francés, lengua que manejaba Vallejo, el título es *Psychologie des foules*.

[47] En la traducción del alemán que empleo, p. 2572.

[48] "El Unanimismo y la poesía de César Vallejo", en la bibliografía.

Al fin de la batalla,
y muerto el combatiente, vino hacia él un hombre
y le dijo: "¡No mueras, te amo tanto!"
Pero el cadáver ¡ay! siguió muriendo.

Se le acercaron dos y repitiéronle:
"¡No nos dejes! ¡Valor! ¡Vuelve a la vida!"
Pero el cadáver ¡ay! siguió muriendo.

Acudieron a él veinte, cien, mil, quinientos mil,
clamando: "¡Tanto amor, y no poder nada contra la muerte!"
Pero el cadáver ¡ay! siguió muriendo.

Le rodearon millones de individuos,
con un ruego común: "¡Quédate hermano!"
Pero el cadáver ¡ay! siguió muriendo.

Entonces, todos los hombres de la tierra
le rodearon; les vio el cadáver triste, emocionado;
incorporóse lentamente,
abrazó al primer hombre; echóse a andar...[49]

Hecho este preámbulo, podemos acercarnos a la obra teatral de Vallejo, donde, como digo en el título del apartado, cabe ver un conflicto entre el ser individual, su entorno familiar y la colectividad o sociedad a la que pertenece. Este examen nos permitirá considerar, una vez más, hasta qué punto Vallejo era original, negándose a asumir sin más los tópicos de su época. Dada su relevancia para el tema, enfocaré esta cuestión a través de tres obras: *Lock-out*, *Entre las dos orillas corre el río* y *La piedra cansada*[50].

Son varios los críticos que, al hablar de la visión de la literatura que poseía el peruano, plasmada en sus notas de *El arte y la revolución*, indican que reconocía en ella varias etapas: literatura burguesa, literatura proletaria (o bolchevique) y literatura socialista[51]. La diferencia principal entre la literatura proletaria o bolchevique y la literatura socialista estribaría en

---

[49] Véase César Vallejo: *Obras completas*, t. I, *Obra poética*, Edición crítica anotada por Ricardo González Vigil, pp. 792-797.

[50] Como señalé antes, cito por la edición de Silva-Santisteban y Moreano, 3 vols., 1999.

[51] Keith McDuffie, Víctor Fuentes, Ricardo González Vigil, etc.

que, mientras que la primera se describe como un arte propagandístico, la segunda supone la maduración de las ideas progresistas, en lo que para Vallejo sería el verdadero arte, humanista. Aplicando estas etapas al teatro que escribe a partir de sus primeros viajes a Rusia, en el período 1930-1936, podemos decir que mientras que *Lock-out* se puede inscribir en la primera etapa o literatura proletaria, las distintas versiones de *Moscú contra Moscú* y *Entre las dos orillas corre el río* pertenecen ya a la segunda etapa, o arte socialista.

Lock-out, escrita en francés, en 1930, trata de la protesta de un grupo de obreros ante el cierre de la fábrica donde trabajan, contra la que se emplea con éxito la huelga como medio de presión. En ella, la lucha de clases entre opresores y oprimidos es clara, estableciendo Vallejo dos bandos antagónicos entre los personajes. Si los obreros aparecen como virtuosos y amantes del trabajo, el grupo que detenta el poder es tildado de corrupto, ocioso y pervertido[52]. Para el tema escogido en mi análisis merecen particular atención un personaje simbólico en la obra, llamado "La Masa", y la historia de uno de los Obreros, el Obrero 12.

En su crónica "El nuevo teatro ruso", publicada en 1931, donde habla de la puesta en escena de *El brillo de los rieles* de Kirshón, que, según Podestá, debió de ver en alguno de sus dos primeros viajes a Rusia, hacia 1928 ó 1929, dice Vallejo:

> Hasta hoy tan sólo se nos daba en candilejas los dramas de reparto entre la burguesía, de la riqueza creada por los obreros. Los personajes eran profesores, sacerdotes, artistas, diputados, nobles, terratenientes, comerciantes, hombres de finanza y, a lo sumo, artesanos. Nunca vimos en escena la otra cara de la medalla social: la infraestructura, la economía de base, la raíz y nacimiento del orden colectivo, las fuerzas elementales y los agentes humanos de la producción económica. Nunca vimos como personajes de teatro *a la masa y al trabajador*, a la máquina y a la materia prima[53].

Las intervenciones de "La Masa" en *Lock-out*, de Vallejo, se dan en momentos significativos: Ella cierra la Escena II, donde se manifiesta la corrupción de los patrones y del Ministro Socialista que tiene que negociar con ellos, con el grito "Vive le proletariat!... Vive les travai-

---

[52] Este aspecto se subraya con su presencia en un cabaret y la sexualidad equívoca de uno de ellos (I, 103).

[53] Las cursivas son mías. *Artículos y crónicas completos*, t. II, 892.

lleurs!... Vive les métallos!..."(I, 13) ; "¡Viva el proletariado!..., ¡Vivan los
trabajadores!..., ¡Vivan los obreros metalúrgicos!..." (65)[54].
    La Escena III se inicia con la repetición de los vivas de La Masa. En
el mismo lugar, mientras se desarrolla la asamblea obrera que decidirá
la huelga como medio reivindicativo, las entradas de La Masa son fre-
cuentes, caracterizándose por su llamada a la acción de forma radical,
frente a las palabras más moderadas de otros obreros. Por ejemplo, dice
LA MASA (entresaco algunas de sus intervenciones):

A bas le socialiste!... Le traître !... Qui se dit socialiste !... Et en voilà assez !
A la grève!... Mais oui, qu'est-ce qu'on attend encore?... (15)

Il ne reste que la grève !... Oui, rien que la grève !... C'est le seul moyen
que nous avons !... Grève, grève, grève !... Et grève générale !... En grève,
camarades!... Tous en grève!... (16)

Il y a une solution!... La révolution !... Oui, la révolution !... La révolution
qui renversera toutes ces injustices!... (18)

LA MASSE impatiente : Non, non, non !... Assez de discours!... Action et
action!... Dehors!... Tous à la grève!... (18)

¡Abajo el socialista!... ¡Traidor!... ¡Quién se dice socialista!... ¡Ya tenemos
suficiente! ¡A la huelga!... ¡Por supuesto!, ¿qué es lo que se espera todavía?...
(69)

¡No queda sino la huelga!... ¡Sí, nada más que la huelga!... ¡Es el único
medio que tenemos!... ¡Huelga, huelga, huelga!... ¡Y huelga general!... ¡En
huelga, camaradas!... ¡Todos en huelga! (72)

¡Hay una solución!... ¡La revolución!... ¡Sí, la revolución!... ¡La revolución
que invertirá todas esas injusticias!... (76)

LA MASA, impaciente.
¡No, no, no!... ¡Basta de discursos!... ¡Acción y acción!... ¡Vamos afuera!...
¡Todos a la huelga!... (77)

---

[54] Cito el original con su paginación, reproducido de forma facsímil en la edición
de Silva y Moreano; aquí se utiliza la traducción de Enrique Ballón Aguirre.

Cuando el Obrero 21 defiende a los patrones, La Masa lo acusa de inmaduro y, sobre todo, de "vendido". Suyos son los gritos:

A bas le capitalisme!... Il faut démolir le capitalisme !... (20)

Voilà ce qu'il faut expliquer à tous ceux qui travaillent pour des salaires de misère ! Il faut abattre les exploiteurs !... Abattre ces sangsues de tous les travailleurs !... (20)

¡Abajo el capitalismo!... ¡Hay que demoler el capitalismo!... (81)

¡Eso es lo que hay que explicar a todos los que trabajan por salarios de miseria! ¡Hay que aplastar a los explotadores!... ¡Aplastar a esas sanguijuelas de todos los trabajadores!... (82)

La Escena concluye con sus voces, al cabo de las cuales los Obreros entonan *La Internacional*, mientras se oye el trote de los caballos de la policía acercándose:

LA MASSE, en grand tumulte: La grève est décidée ! Vive la grève générale !... Vive la justice sociale !... Vive le pain pour tous!... Pour tous, le droit de vivre!... (21)

Bravo !... Tous en grève !... Vive la classe ouvriere!... Vive le prolétariat du monde entier !... Vive l'union de tous les travailleurs !... Vive la lutte pour la justice sociale !... Vive !... [...] Mort aux vaches! A bas les flics!... (21)

LA MASA, *con gran tumulto.*
¡La huelga está decidida!... ¡Viva la huelga general!... ¡Viva la justicia social!... ¡Viva el pan para todos!... ¡El derecho a vivir para todos!... (84)

¡Bravo!... ¡Todos a la huelga!... ¡Viva la clase obrera!... ¡Viva el proletariado del mundo entero!... ¡Viva la unión de todos los trabajadores!... ¡Viva la lucha por la justicia social!... ¡Viva!... [...] ¡Muerte a esos cochinos! ¡Abajo los polizontes!... (85)

En la Escena IV, cuando se ve cómo los policías golpean a los obreros en la calle, La Masa reaparece:

LA MASSE, tout en fuyant: A bas les vaches !... Vive les métallos !... Vive les grévistes !... Merde pour les flics !... *(De nouveau le trot de la cavalerie se rapprochant. Tout en fuyant la foule ramasse des pierres pour se défendre)* Vive les ouvriers !... Pas par là !... A gauche, par les escaliers !... *(La foule a disparu quand surgit un groupe de gardes à cheval. On éteint. La chambre de gauche s'illumine, quand l'ouvrière 1 et l'ouvrier 12 entrent, fermant la porte).*[55] (23)

LA MASA, *al mismo tiempo que huye.*
¡Abajo cochinos!... ¡Vivan los obreros metalúrgicos!... ¡Vivan los huelguistas!... ¡Mierda a los polizontes!... *(Nuevamente se aproxima el trote de la caballería. Huyendo, la multitud recoge piedras para defenderse).* ¡Vivan los obreros!... ¡No por ahí!... ¡A la izquierda, por las escaleras!... *(La multitud desaparece al surgir un grupo de guardias a caballo. Se oscurece la escena. Se ilumina la habitación de la izquierda, a la vez que la obrera 1 y el obrero 12 entran, cerrando la puerta).* (89)

Frente a este personaje colectivo, que actúa, como se ha visto, de manera más impulsiva y exaltada, en el drama intervienen varios Obreros y Obreras, en general innominados, que se identifican a través de números. No obstante, algunos Obreros cobran relieve: ya hemos visto cómo el Obrero 21 desempeña el papel de intercesor de los patrones ante la asamblea sindicalista, donde emerge también el Obrero 20 por la razón contraria: la crítica al sistema de explotación de los trabajadores (73-76).

Desde el principio de la obra destaca el Obrero 12, quien se expresa como un hombre inteligente que dirige a los demás con sus razones; más adelante es singularizado con un nombre: Raimundo. Por ejemplo, en la Escena I, dentro de la fábrica, expone:

Camarades, je vous demande de garder votre calme pour que nous puissions discuter sans interruption. Nous ne devons aller au syndicat que tout-à-fait d'accord pour faire du bon travail, du travail qui tienne. Pas de cris, pas d'interjections grossières, pas de désordre. Le tapage et le scandale ne mênent absolument à rien. Pour le moment, allons tous unis au syndicat. C'est seulement bien d'accord que nous pourrons opérer efficacement. Donc, au syndicat. (3)

Camaradas, les pido guardar calma para que podamos discutir sin interrupción. No debemos ir al sindicato si es que no estamos de acuerdo para hacer un buen trabajo, un trabajo con éxito. Nada de gritos, nada de interjecciones groseras, nada de desórdenes. El alboroto y el escándalo no conducen a nada. Por ahora, vamos todos juntos al sindicato. Es solamente en total acuerdo que podemos operar eficazmente. Pues bien, al sindicato. (42)

Poco después explica a los obreros la responsabilidad de los patrones en las consecuencias negativas de la industrialización:

> Est-ce que vous avez fini ! Y a pourtant pas de temps à perdre !... (*Les ouvriers obéissant enfin*) Quand le directeur dit que le chômage n'est de la faute de personne, il ment, bien entendu ! Les coupables du chômage sont évidemment les patrons ! Ils profitent du rendement des machines, chaque fois plus perfectionnés, c'est-à-dire chaque fois plus rapides, pour se défaire des ouvriers dont ils n'ont plus besoin. Autrement dit, les bénéfices du progrès ne profitent qu'aux patrons, comme toujours ! Une fois de plus, les ouvriers ont construit les machines qui, aujourd'hui ou demain, permettront aux patrons de les mettre à la porte. Pendant que les patrons s'enrichissent à un rythme de plus en plus honteux, nous, les ouvriers, nous devenons, au même rythme, de plus en plus misérables... Les patrons, camarades, sont donc indiscutiblement responsables des millions d'hommes en chômage qui existent dans le mond entier. (4)

> ¡¿Han terminado?! ¡No hay tiempo que perder!... (*Finalmente, los obreros obedecen*). ¡Cuando el director dice que la desocupación no es la culpa de nadie, él miente, por supuesto! ¡Los culpables de la desocupación son evidentemente los patrones! Ellos aprovechan el rendimiento de las máquinas, cada vez más perfeccionadas, es decir, cada vez más rápidas, para librarse de los obreros que ya no necesitan más. ¡En otras palabras, los beneficios del progreso sólo benefician a los patrones, como siempre! Una vez más, los obreros han construido las máquinas que hoy o mañana permitirán a los patrones echarlos a la calle. Mientras los patrones se enriquecen a una velocidad cada vez más vergonzosa, nosotros los obreros, nosotros nos convertimos, con la misma rapidez, cada vez en más miserables. Los patrones, camaradas, son indiscutiblemente responsables de los millones de hombres desocupados que existen en el mundo entero. (46)

A este mismo Obrero 12 será a quien Vallejo ponga en la terrible disyuntiva de tener que decidir entre el amor a su familia y la responsabilidad social, entre auxiliar a su madre y a su novia o apoyar la huelga, secundando a sus camaradas. En la última Escena nos enteraremos a través de sus palabras, y de un modo escueto, que para él la huelga ha tenido consecuencias dolorosas, pues ha perdido a los seres que más amaba. Será este Obrero individualizado quien cierre la obra, provocando su discurso el aplauso de sus compañeros. Reproduzco el final:

> Quelle doit être notre conduite après aussi terrible évènement ? *(Dans un poignant sursaut de courage)* Malgré ma douleur et l'obsession de ces atroces souvenirs, je vous dis, camarades, qu'aucun malheur de famille ne doit freiner ni retenir notre lutte acharnée contre le régime politique et nos exploiteurs. *(Apre)* Mon devoir, camarades, est de vous dire que nous devons resserrer opiniâtrement notre union et intensifier jusqu'à supplice notre foi révolutionnaire et remplacer nos morts jusqu'à ce que la révolution universelle ait uni tous les prolétariats du monde !... [...] Et maintenant, camarades, c'est l'heure d'entrer au travail. Gagnons notre pain à la sueur de notre frent et pliés sous le joug patronal *(Sourcils froncés)* mais tous debout à notre poste de combat. (33)

> ¿Cuál debe ser nuestra conducta después de un hecho tan terrible? *(En un enérgico sobresalto de coraje)*. Pese a mi dolor y a la obsesión de esos recuerdos atroces, les digo, camaradas, que ninguna desgracia familiar debe frenar ni retener nuestra decidida lucha contra el régimen político y nuestros explotadores. *(Amargo)*. Mi deber, camaradas, es decirles que debemos reforzar empecinadamente nuestra unión e intensificar hasta el suplicio nuestra fe revolucionaria y reemplazar nuestros muertos, ¡hasta que la revolución universal haya unido a todos los proletarios del mundo!... [...] Y ahora, camaradas, ha llegado la hora de entrar a trabajar. Ganemos nuestro pan con el sudor de nuestra frente inclinados bajo el yugo del patrón, *(con las cejas fruncidas)* pero todos de pie en nuestro puesto de combate. (112-113)

En su reseña a *El brillo de los rieles*, Vallejo se muestra conmovido por la escena en que un obrero vacila entre el deber y el amor a su familia, justificando su sufrimiento por la marcha de la historia:

> Aquí está su hijo, el pobre, solo, abandonado. Viéndole dormido, como una simple cosa pequeña y frágil, se le oprime el corazón. Su sacrificio personal, en favor del bien colectivo, no le concierne sino a él; pero su sacrificio de los suyos... Porque, al fin y al cabo, el hombre, cualquiera que sea su clase social, es un ser con instintos de padre y de marido. El socialismo no tiende a suprimir ni a aherrojar estos instintos sino únicamente a hacerlos racionales y justos. Mas no estamos todavía en el orden socialista. El orden social soviético es un orden revolucionario, y la revolución tiene sus exigencias provisorias, pero terribles. Entre estas exigencias está la quiebra momentánea de la familia y

la concentración de todas las energías e intereses sentimentales del obrero en el taller revolucionario. (II, 894)

Las distintas versiones de *Moscú contra Moscú* o *Entre las dos orillas corre el río*, redactadas en francés y por último en español, entre 1932 y 1936, a las que están asociadas los Cuadros *El juicio final* y *La Muerte*, revelan una profundización en el coste individual y familiar que el triunfo de la Revolución conlleva. Como se ha señalado, el contenido de la pieza dramática guarda relación con las impresiones de Vallejo durante sus tres viajes a Rusia, publicadas primero como crónicas y después en forma de reportajes. Para simplificar la exposición y por ser ésta la última voluntad de Vallejo, me referiré a la redacción más reciente del texto: *Entre las dos orillas corre el río*, en español, de 1936[56].

Si, como he dicho anteriormente, la obra se sitúa *"pocos años después de la Revolución"* ("Prólogo", 201), la inclusión en ella de un personaje haciéndose pasar por Stalin, apunta al período de éste. Recordemos nuevamente que lo que, al parecer, distanciará a Vallejo del comunismo oficial será no sólo la subordinación del arte a la política, por la imposición del realismo socialista, que él no compartirá, sino también las noticias que llegan de la dura represión de Stalin, en 1934[57].

En varias de sus crónicas, a partir de 1928, Vallejo se referirá a la forja gradual de un estado socialista, que afectará a los individuos que lo integren. Por ejemplo, en "El espíritu y el hecho comunista", datada en París, 1928:

> Hasta el día en que el *hecho* comunista se convierta en *espíritu* comunista –tomado éste como estado orgánico de la vida colectiva- habrán de sucederse en Rusia varias generaciones. Lo que acontece ahora no pasa de un fenómeno externo, que un partido impone o trata de imponer, de afuera para adentro, al pueblo. El espíritu comunista tan sólo vive por ahora en el partido bolchevique, cuyos 750 mil miembros son los únicos poseedores de la nueva sensibilidad política. El resto de la colectividad -150 millones de habitantes- carece de este estado comunista orgánico y se mueve como un simple instrumento en el que se trata de incorporar el nuevo temple político. [...] El bolchevique ajusta su conducta a las disciplinas comunistas

---

[56] Cfr. Podestá 1994: 177. Ya he mencionado que la edición de Silva no es una edición crítica.

[57] Llegué a esta conclusión tras la lectura de bastantes trabajos en mi artículo sobre el Unanimismo y Vallejo.

espontáneamente y con una religiosa y alegre austeridad mientras que los demás individuos lo hacen imperfectamente, a veces con escepticismo, otras a la fuerza y casi siempre a medias. Para que toda Rusia se convierta orgánicamente al estado de espíritu comunista del que disfrutan los 750 mil rusos que integran el partido bolchevique, tendrán todavía que transcurrir muchos años más. Ello será el resultado de la educación comunista de padres a hijos y sobre varias generaciones, para eliminar por sana y natural secreción histórica, el viejo protoplasma político eslavo remplazándolo con la nueva celulación social.[58]

En otras crónicas Vallejo tratará de los distintos grupos que forman la población, los cuales chocan entre sí en la obra dramática. Por ejemplo, en "Tres ciudades en una sola" (1930)[59]:

> A cada uno de estos tres aspectos urbanos de Moscú corresponde un sector social particular. La población feudal o pre-revolucionaria se destaca y se diferencia rotundamente del elemento bolchevique de 1917 y de las masas obreras post-revolucionarias. Son tres capas sociales cuya mentalidad, costumbres e intereses diversos y, a veces, opuestos, coexisten, sin embargo, en la ciudad actual. Un observador imparcial no puede negarlo.

Como tipos humanos rusos, Vallejo prestará especial atención en sus artículos al *nepman* (comerciante), como ejemplo de "ruso pre-revolucionario", y al bolchevique, de quien traza una semblanza elogiosa.

No parece casual que en *El juicio final*, que después se colocará como "Prólogo" dramático a *Entre las dos orillas*, Atovov se confiese de haber asesinado a un posible homicida de Lenin, provocando el rechazo del Padre Vakar, por no haber modificado con ello el curso de la historia; ni que el cuadro I (acto I) empiece viéndose a Mukinin, un *"nepman"*, y tras él al Príncipe Osip (de la más alta aristocracia rusa), ambos borrachos, creyéndose perseguido el primero por una estatua de Lenin[60]. El conflicto principal reside en la dificultad que tienen los miembros de las clases privilegiadas para asimilar la Revolución, particularmente la pareja formada por el Príncipe Osip Petrovitch Polianov y su esposa Varona.

---

[58] *Artículos y crónicas completos*, t. II, 634-635.

[59] Id., II, 842.

[60] Con el mismo valor simbólico y humorístico, en la reciente película alemana *Good bye, Lenin* vemos cómo una estatua del líder revolucionario surca los aires.

En el siguiente cuadro (II), Osip echa en cara a Mukinin el haber apedreado la estatua de Lenin, rompiéndole una mano; en un determinado momento le dice:

OSIP
¡Permítame, permítame! Me explico, escuche usted. En régimen burgués, capitalista o como quiera usted llamarlo, la gente es 51% desgraciada, pero en régimen proletario, socialista o como quiera usted llamarlo, lo es 101 % bajo cero.[...] (211)

A continuación, en un diálogo muy irreverente en términos políticos, Osip se hace pasar por Stalin ante Mukinin y su esposa, la ingenua Olga; extraigo algunos párrafos:

OSIP
¡Borracho, comunista de dos por medio! *(Con súbita indulgencia).* Ven aquí y siéntate a mi lado o frente a mí. *(Mukinin obedece).* Pues, ya ve usted... *(Mukinin observa a Osip a través de su embriaguez, desorientado).* Yo soy Stalin, con íntimo placer. Con mucho gusto. Sí, por cierto... *(Y como por Mukinin pasa una sombra de incredulidad y quiere hablar).* ¿Qué alega usted? ¿Qué tiene que decir? [...]
OSIP, *inalterable.*
Mi secretario. *(A Spekry).* Entra, entra, camarada. *(Volviendo a Mukinin).* Te decía... pues sí: yo soy Stalin. Ya lo ves.
SPEKRY, *a Mukinin.*
¿Pero, hombre, es que está usted ciego? *(Señalando a Osip).* El camarada Stalin y lo duda usted. *(Mukinin no sabe si sueña o asiste a la realidad).*
OSIP
Yo soy el Secretario General del Partido Comunista. ¿Qué es el Secretario General del Partido Comunista? Nada. Un hombre como cualquier otro.
SPEKRY
Salvo que la naturaleza le ha dotado de más talento y corazón que a todos los hombres juntos.
MUKININ, *inclinándose.*
Camarada Stalin, toda mi admiración.
SPEKRY, *a Mukinin.*
Y lo ves: en la democracia proletaria, son los hombres más inteligentes y honrados los que están a la cabeza de la sociedad. (215-216)

MUKININ
¡Qué honor inesperado, camarada Stalin! Me deslumbran su franqueza, su sencillez, su manera...

OSIP

¡Qué quieres! Esto sólo puede suceder en un orden socialista. Un Hitler cualquier día se pasea, como yo, por las noches... Lo matan. (217)

Cuando llega Olga, *"deslumbrada"*, pregunta:

OLGA, *con tímida incredulidad.*
El camarada... ¿A esta hora?... ¿Así? ¿En ese?...
SPEKRY
Precisamente, señora. Es su estado normal: la sencillez. Nada despótico; al contrario... (220)

OSIP, *galante, a Olga.*
Pues, mire usted, señora: nosotros, los grandes hombres, al igual que los demás, que los hombres medianos y más chicos, tenemos un corazón que sufre humanamente...
MUKININ, *agotado, desplomándose de pronto en su asiento.*
¡Me cago en diez!
OSIP, *a Olga, en tanto que Spekry toca a la sordina su acordeón.*
Porque a usted no se esconde, sin duda, que por encima de los 4, 3 ó 2 años del plan quinquenal, existe la eternidad.
OLGA, *cree, por momentos, que es Stalin quien habla.*
Camarada, así me parece.
OSIP, *arrimándose cada vez más a Olga.*
El proletariado, la máquina, la revolución mundial son, a no dudarlo, una realidad. Pero no menos reales y existentes son los misterios de Dios, del amor y de la muerte. *(Volviéndose a Mukinin).* ¿Verdad, nepman?
MUKININ, *medio dormido, en un gruñido.*
¡Joder!
OLGA
¡Oh!... Camarada Stalin, perdone, por favor...
OSIP
¿Qué? ¡Nada, señora! Le diré que este lenguaje a mí me gusta justamente. Estoy harto de palabras burocráticas. Cuando así salgo de noche, incógnito, le advierto a usted que esto no lo hago sino de tarde en tarde, lo que trato de encontrar en mis paseos es gente de la entraña del pueblo, *de la base de la masa*[61], que hable y se comporte a sus anchas, sin hipocresía ni doblez. *(Spekry cesa poco a poco de tocar y se va quedando dormido).*

---

[61] Las cursivas aquí son mías.

OLGA

Es usted bondadoso, camarada. Ya me lo habían dicho.

OSIP, *casi al oído, bajo.*

Aquí, entre nosotros, no vea usted en mí, en este momento, se lo ruego, al jefe de los trabajadores de la Unión Soviética, sino a un simple amigo y nada más.

OLGA

Es usted también muy modesto, camarada Stalin.

OSIP, *tomando súbitamente la mano de Olga y llevándola a su pecho.*

Tóqueme el corazón. *(Olga se deja hacer, confusa, sorprendida).* Terrible es la sed que me devora. Yo soy Stalin, sí. Un luchador, un hombre entregado por entero a la humanidad... *(Reteniendo entre sus manos la de Olga).* Pero, camarada, nadie sabe, se lo juro, que este luchador es un hombre sensible, ardiente, apasionado y, sin embargo, solo, camarada, ¡muy solo! *(Cara a cara, con fuego).* ¡Qué mirada! ¡Y esa boca! (221-222)

El sentido irónico de esta escena evoca textos como el poema de Vallejo que empieza: "Me viene, hay días, una gana ubérrima, política", fechado en noviembre de 1937[62], de los llamados *Poemas humanos.*

El cuadro III, del mismo acto, se introduce con una exclamación del tío de Varona, muy significativa:

BORIS, *cansado.*

¡Ah!... Ya no cabe duda, evidentemente, bajo una u otra forma, asistimos a la quiebra universal de la familia. En Rusia, en los Estados Unidos, en Francia, en Alemania y en todas partes. (232)

Aquí se plantea lo que será el desencadenante de la tragedia: el conflicto entre la vida familiar y social. En la habitación de la casa comunitaria donde vive Varona, cuyas paredes están adornadas con *"fotografías de personajes de la época zarista y estampas religiosas"* (232), ésta se queja a su tío de las discusiones que tiene con sus dos hijos menores porque se están haciendo bolcheviques. Boris aconseja a su sobrina que se resigne ante la voluntad de Dios, "tolerancia y paciencia" (237). Los hijos comentan un acto de sabotaje que relata el periódico, Niura interviene:

---

[62] Extraigo la fecha de la edición crítica de su *Obra poética*, preparada por Ricardo González Vigil.

NIURA

¿Qué otra cosa van a probar sino que el amor universal que predican los comunistas no pasa de una utopía, y punto?

VARONA

Utopía que el país está pagando con su sangre desde que el Soviet detenta el poder. (240)

A Vallejo, que siempre evocará el amor a su familia peruana como un oasis en la vida, esta ruptura entre la vida familiar y social le debía de parecer de una extremada dureza. En la pieza, Zuray, la hija preferida de Varona, que es la que se parece más a su padre, el Príncipe Osip, se verá forzada a elegir entre su condición de activista comunista y el amor a su familia, por la oposición de su madre, Varona. Tras la entrada sucesiva de Spekry y del Padre Vakar en la habitación donde se halla Varona, quienes le hablan de Osip en términos contrarios, el cuadro III finaliza con la aparición de una niña *"de unos 10 años"*, que ha huido de casa por no querer hacerse *"komsomolka"*, lo cual era un deseo de su madre (situación contraria a la de Zuray respecto a la suya); finalmente la niña se marcha con el propósito de contentar a su madre.

El cuadro IV (acto II), que transcurre *"En un club de komsomolkas"* cuyo salón está adornado con *"Retratos de Marx y de Lenin"* (267), presenta a Zuray debatiéndose internamente en esa disyuntiva. La conversación en el club gira en torno a la revolución rusa y el modelo de familia burgués que todavía impera en el país, criticándose la burocracia gubernamental. A partir de la propuesta de oír la Rapsodia n° 2 de Liszt, la discusión deriva al realismo socialista en música, con ideas que concuerdan con las reflexiones de Vallejo de *El arte y la revolución*; por ejemplo:

KOMSOMOLKA 5

No hay humanismo bien entendido en la actualidad, fuera del que se expresa y realiza por la acción revolucionaria. Pero mañana, cuando esta lucha tenga fin, entonces la forma de este amor universal será el abrazo fraternal de todos los hombres. *(Voces de aprobación)*. Hoy mismo, los trabajadores y *pionniers*[63] del porvenir, en las horas fugaces de armisticio de esta lucha, ya se muestran sensibles a ese arte de concordia universal que

---

[63] Subrayo el galicismo. Vallejo lo utiliza en su crónica "Filiación del bolchevique", de 1930, diciendo de éste: "El bolchevique es el padre de la vida soviética. Es el abanderado de la causa proletaria. Es el *pionnier* del socialismo"; *Artículos y crónicas completos*, II, 857.

debe ser el arte del futuro... (*Aplausos*). Agrego que el mismo Lenin condenó enérgicamente esta fobia infantil que algunos sectores revolucionarios manifiestan contra lo que, en arte, llaman ellos "viejo" y que, en realidad, es nada menos que uno de los puntos de partida necesarios –subrayo el adjetivo: necesarios– al desarrollo del arte proletario. Tengo la seguridad absoluta que si Lenin estuviera entre nosotras, en este momento, oiría con plena adhesión la música de Liszt. (271-272)

Zuray plantea la oposición de su familia para hacerse del Partido, a lo que contesta una niña, "*de unos 12 años*", que se encuentra en iguales circunstancias a las de Zuray:

> LESKA, *con cortante impaciencia.*
> Camarada Eschliff, Zuray Osipovna quiere a su familia y quiero yo a la mía. La revolución social, que yo sepa, no va contra el amor de la familia... (274)

La Secretaria del club zanja el diálogo, recomendando a Leska, que aún vacila, que retrase su decisión; éstas son sus palabras:

> SECRETARIA
> Es mejor que aplaces tu decisión para cuando te sientas con más valor o para cuando tu acto, a tu juicio, no cause tanta pena a tu mamá y a ti misma. La revolución, como lo has dicho, no debe ir contra el amor a la familia. Hay que buscar conciliar ambos deberes y ambos sentimientos. El propio Lenin ha dicho: "La revolución debe hacerse con el minimum de dolor posible para explotadores y explotados". (*Aplausos*). (276)

Sin embargo, Zuray termina el cuadro declarando su deseo de adherirse inmediatamente a las juventudes comunistas, a pesar de la postura de su madre.

El último cuadro (acto III), se abre presentando a la familia de Varona disgregada: se dice que Osip ha muerto, dos hijos de Varona: Ilitch y Zuray, se han hecho bolcheviques, mientras que los otros dos: Niura y Wladimiro, son reaccionarios como Varona; pelean entre sí. Zuray sale un momento y vuelve a la habitación familiar, acompañada por tres niños: dos niñas vestidas de bolchevique como ella, y un niño, de tres años de edad, que se llama Massa. Su nombre no parece casual; recordemos otra vez que la palabra masa en francés es *masse* y cabe entender que viene a representar una nueva generación ante los cambios ocasionados por la Revolución rusa. De Massa se dice que sabe ya de marxismo pero tiene hambre (294). La discusión que entablan ahora Varona y su hija Zuray vuelve a poner de manifiesto el conflicto entre individuo, familia y colectividad; por ejemplo:

> VARONA, *más iracunda todavía.*
> ¿Hasta cuándo, Señor, no cae tu rigor, tu ira, tu castigo sobre esta negra farsa de bandidos con máscara mesiánica que se llama el Soviet?
> ZURAY
> ¡Mis ideas, madre, sólo tienen un alcance colectivo; tu vida y tu persona, es otra cosa, individual, familiar!... (296)

> ZURAY
> Perdóname el haber venido al mundo pero no me prohíbas que sea yo sincera contigo. No te enojes si te digo, desde lo más profundo de mi ser: ¡el Soviet, madre, salvará la humanidad! Tu ruina, tus infortunios, tus amarguras, todo acabará poco a poco y más pronto de lo que tú te figuras. Por encima de todos nuestros dolores, rencores y luchas de hoy y, precisamente por desgracia, a precio de estas penas y amarguras, una sola cosa, madre, va a triunfar: la humanidad justa, fraternal, ¡la humanidad del porvenir! *(Wladimiro y Niura, como también Varona, se han quedado suspensos de la expresión* **penetrada e iluminada**[64] *de Zuray).* Es esta humanidad del porvenir la que cobra voz para decirte: "¡Corazón de madre, no te apegues demasiado a la hija de tu carne individual, perecedora, susceptible de serte arrebatada hoy o mañana por la muerte o por otra contingencia del destino. De este dolor histórico y social que ahora te desgarra las entrañas, estás dando la luz a los hijos del futuro, a generaciones innumerables, vidas libres y sin fin, cuya hermosura, cuya fuerza y cuyo poder de amor y pensamiento pueden ya colmarte de una dicha que mujer alguna gozó nunca en la tierra! Y es esta misma humanidad del porvenir que te dice todavía: "Varona Gurakevna, entierra para siempre tu pasado. Olvida la mujer que fuiste. ¡Abre tu corazón al sacrificio!". *(**Zuray pone los ojos como transfigurados en Varona**).* (305-306)

Varona pide, en cambio, a Zuray: "¡Vuelve a los Polianov! ¡Deja el Soviet!" (307) y se enfada cuando su hija le dice que quiere volver a

---

[64] Resalto algunas frases. En la crónica mencionada antes: "Filiación del bolchevique", Vallejo llega a decir en su elogio: "El bolchevique hace, de esta manera, figura de mártir y de santo" (II, 858). Ello no obsta, sin embargo, para que los adjetivos puedan entenderse también de modo negativo, como propios de alguien que está enajenado.

salir de la habitación más tarde, diciéndole: "¿quién manda en esta casa, finalmente? ¿Yo o Stalin?" (309). La tragedia concluye cuando Varona, en un arrebato pasional, asesina con un cuchillo a quien más ama, que es su hija Zuray. Con estos contenidos no es extraño que la obra no gustase cuando Vallejo la dio a conocer leyéndola en España (1931) y en Francia (1932)[65].

El tema político de *Colacho Hermanos* o *Presidentes de América* se refiere al Perú, que se encuentra en un estadio de sociedad agraria, preindustrializada, con una problemática distinta, volviendo a traer a colación aquí el paralelo con la farsa *En la luna*, de Vicente Huidobro[66]. Tanto el peruano como el chileno escriben sus piezas para denunciar las falsas democracias de América Latina, con Presidentes que son títeres del poder económico.

Guido Podestá (1994) interpreta *La piedra cansada* de Vallejo como una "alegoría social". Dice textualmente:

> Las lecturas posibles de *La piedra cansada* permiten entenderla como una alegoría de lo que ocurre en sociedades civiles contemporáneas a Vallejo, o como una revisión histórica que puede haber considerado oportuna, a modo de ofrecer una explicación más sensata de lo que fue el incario. De ser así, la historia alude no sólo a desigualdades sociales imperantes en toda sociedad en la que existen clases, cualquiera que fuese su denominación, sino también a los efectos que tiene una política expansionista y beligerante. No hay nada que impida ver estas lecturas como complementarias. Sea cual fuere el caso, en la escritura de *La piedra cansada* existe el propósito de revisar la historia de los Incas. La música cumple una función importante en el logro de este objetivo. (215-216)

> [Frente al relato *Hacia el reino de los sciris*, en *La piedra cansada*] La atención que le da Vallejo al "dolor social" lo lleva a revisar críticamente el sistema político del Tahuantisuyu, en donde predominan tendencias hacia el expansionismo y el nepotismo, fomentadas y resguardadas por un linaje de autócratas. Para lograrlo, se ve en la necesidad de superar los límites de *Hacia el reino de los sciris*. Aumenta considerablemente la cobertura social del drama. (303-304)

---

[65]   Véase *Teatro completo* 1979, 1, 95.

[66]   Remito al apartado anterior y al capítulo que dedico al teatro de Huidobro en este libro.

Otro tanto concluye Eduardo Hopkins al analizarla (1993)[67]:

> La obra acoge el entorno social como factor motivador de la acción de los personajes. Es la situación social la que impone un código de acción fuertemente motivado: la conducta del rebelde Tolpor depende en gran medida de este código. En tal sentido, LPC [*La piedra cansada*] postula la idea de que en una sociedad rígidamente jerarquizada no es posible la felicidad o que el amor es incompatible con una sociedad de clases. (275)

Idea en la que vuelve a insistir Hopkins al acabar su artículo, a la que asocia la explicación del significado en quechua del nombre del protagonista: *Tolpor*, 'punzón', de acuerdo con el glosario preparado por Teodoro Meneses. El conflicto social que causa el general plebeyo al atreverse a pretender a una joven noble descendiente de los Incas en el anónimo *Ollantay*, se reproduce aquí en la pareja formada por el albañil Tolpor y la ñusta Kaura, cuyas diferencias sociales hacen también de su relación un amor prohibido.

Al presentar a los indígenas en *La piedra cansada* y en sus crónicas, Vallejo hace hincapié en su comportamiento colectivista; coral desde el punto de vista de la música y danzas que se intercalan en la obra dramática. La pieza se inicia con unas palabras en quechua, lema del Imperio incaico: "¡Ama Sua! ¡Ama Llulla! ¡Ama Kella!", "¡No matar!, ¡No mentir!, ¡No estar ocioso!"[68], que se repiten en varias ocasiones. El mismo lema se recoge en una novela indigenista coetánea, *El Pueblo del Sol* (1ª ed. 1924, 2ª 1927), de Augusto Aguirre Morales, la cual es también crítica respecto a la visión tradicional del imperio incaico procedente del Inca Garcilaso, aunque por motivos distintos[69]. El levantamiento de

---

[67]   Véase el apartado anterior.

[68]   Cito por la versión de *Visión del Perú*, que es la que actualmente se considera más fiable, recogida en primer lugar por Silva, frente a la publicada anteriormente en *Teatro completo* (1979), que coloca Silva en su edición en un segundo término. Hay diferencias entre el texto de Vallejo y las palabras del quechua en el glosario de Meneses, reproducido por Silva: Vallejo traduce "¡Ama Sua!" como "¡No matar!", Meneses como "¡No robar!"; Vallejo escribe "Ama Llulla" (con ll), Meneses "Ama Llula" (con l).

[69]   Esta interesante novela hace hincapié en la opresión incaica sobre los pueblos conquistados. Situada en el último período del imperio (Huayna Capac), sus protagonistas no son incas, sino un grupo de nobles chinchas que organizan una rebelión frustrada en el Cuzco. Carlos Arroyo (1995), en un estudio que he podido leer mientras corregía las pruebas de imprenta de este libro, trata de la polémica sobre el "comunismo

construcciones megalíticas en época prehispánica, que comenta Vallejo en varios artículos entre 1935 y 1936[70], tal como se muestra al principio de la obra dramática, exige un esfuerzo comunitario.

Hopkins, en su interpretación, insiste en cómo Tolpor es un individuo indígena que se atreve a ir en contra del orden social establecido. El tránsito de Tolpor, poseído por el "supay" (demonio) que le hace enamorarse de Kaura, de hachero plebeyo a guerrero victorioso y después gobernante de los incas, lo convierte a los ojos de la multitud en un "Emperador revolucionario" (88)[71].Su posterior renuncia al trono como *Tolpor Imaquípac*, 'el que todo lo deja', trunca la lógica interna de la obra, como posible apología de la ruptura de clases. *La piedra cansada* parece más bien una metáfora del cansancio vital de Vallejo[72], subrayada por el desenlace del asunto (Tolpor y Kaura al reencontrarse al final del drama no se reconocen), lo que se realza también por la oscuridad con que termina el texto, dejando la puerta abierta a las conjeturas. Como sostiene Podestá en el "Prólogo" a *Desde Lutecia...* (1994)[73], prueba el aprecio que sentía Georgette por el teatro de su marido, el hecho que entregara un fragmento de *La piedra cansada* a *Commune; revue littéraire française pour la défense de la culture*, fundada en 1932 y dirigida por Romain Rolland y Louis Aragon; el cual se traducirá al francés y aparecerá publicado, póstumamente, en agosto de 1938.

---

incaico" suscitada a raíz de la publicación de la novela de Aguirre Morales, a la cual cabría asociar *La piedra cansada* de Vallejo.

[70] Véase *Artículos y crónicas completos*.

[71] Invito ahora a releer el párrafo que entresaco del "Prólogo" de Ventura García Calderón a la edición del *Ollantay*, de Madrid, 1931, en la primera parte del capítulo.

[72] Según Georgette, Vallejo escribió esta pieza hacia noviembre de 1937, tras *España, aparta de mí este cáliz*. El peruano acababa de volver del Congreso de Escritores Antifascistas, pensando en la derrota del bando republicano. Cfr. *Teatro completo*,1979, t. 2, 147-148.

[73] En ii-iii.

Dibujo preliminar de Pablo Curatella y portada interna de *Ollantay. Drama Kjechua*, Madrid-París-Buenos Aires, A expensas de la Agrupación de Amigos del Libro de Arte, 1931.

OLLANTAY
DRAMA KJECHUA

TRADUCCION CASTELLANA DE MIGUEL A. MOSSI
Y TRADUCCION FRANCESA DE
GAVINO PACHECO ZEGARRA
PRECEDIDAS DE UN
PROLOGO DE
VENTURA GARCIA CALDERON
E ILUSTRADAS CON GRABADOS AL BOJ
EN COLORES DE
PABLO CURATELLA MANES

A EXPENSAS DE LA
AGRUPACION DE AMIGOS DEL LIBRO DE ARTE
MADRID - PARIS - BUENOS AIRES
1931

BIBLIOGRAFÍA

1. EDICIONES DE CÉSAR VALLEJO

— *Obras completas*. Editor General: Ricardo Silva-Santisteban. Vols.:
(1999) *Teatro completo*. Presentación de Salomón Lerner Febres. Edición de Ricardo Silva- Santisteban y Cecilia Moreano. 3 vols. Lima: Pontificia Universidad Católica del Perú.
(1999) *Narrativa completa*. Presentación de Salomón Lerner Febres. Edición de Ricardo Silva-Santisteban y Cecilia Moreano. Lima: Pontificia Universidad Católica del Perú.
(2002) *Artículos y crónicas completos*. Presentación de Salomón Lerner Febres. Recopilación, prólogo, notas y documentación por Jorge Puccinelli. 2 vols. Lima: Pontificia Universidad Católica del Perú.
(2002) *Correspondencia completa*. Edición, estudio preliminar y notas Jesús Cabel. Lima: Pontificia Universidad Católica del Perú.
— (³1983) *Obras completas*. 9 vols. Barcelona: Laia.
— (1991) *Obras completas*. t. I: *Obra poética*. Edición, prólogo, bibliografía e índices de Ricardo González Vigil. Lima: Banco de Crédito del Perú (Biblioteca Clásicos del Perú 6).
— (1988) *Obra poética*. Edición Crítica Américo Ferrari Coordinador. UNESCO, Colección Archivos.
— (1979) *Teatro completo*. Prólogo, traducciones y notas de Enrique Ballón Aguirre. 2 vols. Lima: Pontificia Universidad Católica del Perú.

2. BIBLIOGRAFÍAS Y ESTUDIOS CRÍTICOS SOBRE VALLEJO

BALLÓN AGUIRRE, Enrique (1988): "El efecto ideológico en el teatro de César Vallejo: *Colacho Hermanos* o *Presidentes de América*". En: *Cuadernos Hispanoamericanos*, 454-55, Abril-Mayo, *Homenaje a César Vallejo*, vol. I, pp. 423-448.
ECHEVARRÍA, Evelio (1986): "Clasificación y ubicación de la dramaturgia de César Vallejo". En: *Language Quarterly*, University of South Florida in Tampa, vol. XXV, Fall-Winter, Numbers 1-2, pp. 45-46.
FUENTES, Víctor (1988): "La literatura proletaria de Vallejo en el contexto revolucionario de Rusia y España (1930-1932)". En: *Cuadernos Hispanoamericanos*, 454-55, *Homenaje a César Vallejo*, vol. I, pp. 401-413.
GONZÁLEZ VIGIL, Ricardo (1995): *César Vallejo*. Lima: Editorial Brasa.
— (1992): "Prólogo" a César Vallejo: *Obras completas*, ts. 12 y 13: *Colacho Hermanos, Esbozos teatrales*. Lima: EDITORA PERÚ, La Tercera.

HART, Stephen (1985): "El compromiso en el teatro de César Vallejo". En: *Conjunto* n° 65, La Habana, pp. 39-45.

HOPKINS RODRÍGUEZ, Eduardo (1993): "Análisis de *La piedra cansada* de César Vallejo". Separata de *Intensidad y altura de César Vallejo*. Lima: Pontificia Universidad Católica del Perú, pp. 265-323.

LEDGARD, Melvin (1989): "Vallejo como dramaturgo". En: *Revista de la Universidad Ricardo Palma*, Lima, Año 10, N° 10, Marzo, pp. 45-59.

MCDUFFIE, Keith (1975): "César Vallejo y el Humanismo Socialista vs. el Surrealismo". En: Earle, Peter G.; Gullón, Germán: *Surrealismo/Surrealismos. Latinoamérica y España*. Philadelphia: University of Pennsylvania, pp. 67-73.

PIXIS, Christian (1990): *César Vallejo. Bibliografía de la crítica vallejiana*. München: Pixisverlag.

PODESTÁ, Guido (1985): *César Vallejo. Su estética teatral*. Prólogo de Antonio Cornejo Polar. Minneapolis, Valencia, Lima, Institute for the Study of Ideologies & Literature. Instituto de Cine y Radio-Televisión. Universidad Nacional Mayor de San Marcos.

— (1994): *Desde Lutecia. Anacronismo y modernidad en los escritos teatrales de César Vallejo*. Berkeley, CA: Latinoamericana Editores.

— (1994b): "La cinematización del teatro en *Dressing-room* de César Vallejo". En: Roland Forgues (ed.): *César Vallejo, vida y obra*. Lima: Amaru Editores, pp. 167-177.

REVERTE BERNAL, Concepción: "Releyendo a Vallejo: Vallejo como dramaturgo busca un camino personal". Comunicación en *II Congreso Internacional de Peruanistas*, organizado por las Universidades de Harvard y Sevilla, Sevilla, 1 a 4 de junio de 2004.

— "El Unanimismo y la poesía de César Vallejo". En: *Unum et Diversum. Estudios en honor de Ángel Raimundo Fernández*, Pamplona, EUNSA, 1997, pp. 459-470; recogido en su *Fuentes europeas-Vanguardia hispanoamericana*, Madrid, Verbum, 1998, pp. 126-137. Véase aquí otra bibliografía manejada anteriormente sobre Vallejo.

RODRÍGUEZ PERALTA, Phyllis (2001): "Sobre el indigenismo de César Vallejo". En: Kapsoli, Wilfredo (Compilador), Rodríguez Chávez, Iván (Estudio preliminar): *César Vallejo en la Crítica Internacional*. Lima: Universidad Ricardo Palma, pp. 165-182.

SAINZ DE MEDRANO, Luis (1988): "César Vallejo y el indigenismo". En: *Cuadernos Hispanoamericanos*, 454-55, *Homenaje a César Vallejo*, vol. I, pp. 739-749.

SOBREVILLA, David (1995): *Introducción bibliográfica a César Vallejo*. Lima: Amaru Editores.

VILLANES CAIRO, Carlos (1988): "El indigenismo en Vallejo". En *Cuadernos Hispanoamericanos*, 454-55, *Homenaje a César Vallejo*, vol. I, pp. 751-760.

3. Otros

Aguirre Morales, Augusto (³1989): *El Pueblo del Sol*. Lima: Consejo Nacional de Ciencia y Tecnología (CONCYTEC). [1ª ed. Lima, 1924, 2ª 1927].

Anónimo (1931): *Ollantay. Drama Kjechua*. Traducción castellana de Miguel A. Mossi y traducción francesa de Gavino Pacheco Zegarra, precedidas de un prólogo de Ventura García Calderón e ilustradas con grabados al boj en colores de Pablo Curatella Manes. Madrid, Paris, Buenos aires, A expensas de la Agrupación de Amigos del Libro de Arte.

— (1886): *Ollantay. Drama en verso quechua del tiempo de los Incas*, traducido de la lengua quechua al francés y comentado por Gabino Pacheco Zegarra, versión española por G. Madrid: Campuzano, impresor. Biblioteca Universal, Colección de los mejores autores antiguos y modernos nacionales y extranjeros.

Arroyo, Carlos (1995): *El Incaísmo Peruano. El caso de Augusto Aguirre Morales*. Lima: Mosca Azul Editores.

Barrera, Trinidad (2004): "Perú, tradición y modernidad, vanguardia e indigenismo". En: *América sin nombre*, Universidad de Alicante, Nº 5-6, diciembre, monográfico titulado *Recuperaciones del mundo precolombino y colonial*, Carmen Alemany Bay; Eva M. Valero Juan (coord.), pp. 31-37.

Benavente, Jacinto (1909): *El Teatro del Pueblo*. Madrid: Librería de Fernando Fé.

Le Bon, Gustave (2000): *Psicología de las masas*. Traducido por Alfredo Guerra Miralles. Madrid: Ediciones Morata.

Borrás, Tomás (1931): *Tam.Tam. Pantomimas. Bailetes. Cuentos coreográficos. Mimodramas*. Madrid, Barcelona, Buenos Aires: Compañía Iberoamericana de Publicaciones.

Freud, Sigmund (1996): *Psicología de las masas y análisis del yo*. Volumen VII de *Obras completas*. Traducción de Luis López-Ballesteros y de Torres. Madrid: Biblioteca Nueva.

Morgan, Robert P. (1994): *La música del siglo XX. Una historia del estilo musical en la Europa y la América modernas*. Traducción Patricia Sojo. Madrid: Akal MÚSICA.

Obregón, Osvaldo (2000): "*El teatro del pueblo* de Romain Rolland y la resurgencia de sus ideas sobre el teatro popular en América Latina". En su *Teatro latinoamericano. Un caleidoscopio cultural (1930-1990)*, CRILAUP, Presses Universitaires de Perpignan, pp. 67-81.

Ordaz, Luis (1981): "Ricardo Rojas y 'Ollantay' ". En su *Los poetas en el teatro*, capítulo 90 de la *historia de la literatura argentina*. Buenos Aires: CEDAL, pp. 564-567.

Peral Vega, Emilio Javier (2001): *Formas del teatro breve español en el siglo XX (1892-1939)*. Madrid: Fundación Universitaria Española.

Piscator, Erwin (2001): *El Teatro Político y otros materiales*. Prólogo de Alfonso Sastre, edición y apéndices de César de Vicente Hernando. Hondarribia: HIRU.

Rolland, Romain (1913): *Le théatre du peuple. Essai d'esthétique d'un théatre nouveau*. Paris: Librairie Hachette et Cie.

— (1929): *Teatro de la revolución*. Prólogo de Luis Araquistain. Madrid: Editorial Cenit.

Samuel, Raphael; Maccoll, Ewan; Cosgrove, Stuart (1985): *Theatres of the Left. 1880-1935. Workers' Theatre Movements in Britain and America*. London, Boston, Melbourne and Henley: Routledge & Kegan Paul.

Sender, Ramón J. (1931): *Teatro de masas*. Valencia: Ediciones "Orto".

Vicente Hernando, César (1992): "Piscator y su concepto de Teatro Revolucionario en la primera mitad del siglo xx en España". En: *Teatro* n° 1, junio, pp. 123-140.

Vich, Cynthia (2000): *Indigenismo de Vanguardia en el Perú: Un estudio sobre el "Boletín Titikaka"*. Lima: Pontificia Universidad Católica del Perú.

V

Sirenas acriolladas: Conrado Nalé Roxlo y Francisco Arriví

En *Estravagario* (1ª ed. 1958), de Pablo Neruda, destaca la "Fábula de la sirena y los borrachos", poema enteramente escrito en cursiva y que puede ser considerado una especie de manifiesto poético del libro. Extraigo un fragmento:

> *Todos estos señores estaban dentro*
> *Cuando ella entró completamente desnuda*
> *ellos habían bebido y comenzaron a escupirla*
> *ella no entendía nada recién salía del río*
> *era una sirena que se había extraviado*
> *los insultos corrían sobre su carne lisa*
> *la inmundicia cubrió sus pechos de oro*
> *ella no sabía llorar por eso no lloraba*
> *no sabía vestirse por eso no se vestía*
> *la tatuaron con cigarrillos y con corchos quemados*
> *y reían hasta caer al suelo de la taberna [...]*[1]

El choque abrupto entre realidad y fantasía que supone la irrupción de ese ser fantástico que es la sirena en un escenario realista se asemeja al realismo fantástico o mágico que caracteriza a la narrativa hispano-americana a partir de 1940 y supone un giro en la trayectoria lírica del chileno, cuyos antecedentes próximos eran el realismo comprometido

---

[1] La fábula no lleva signos de puntuación. Cito por Pablo Neruda: *Obras completas* (1999), vol. II: *De "Odas elementales" a "Memorial de Isla Negra"* (635-636). La primera edición de *Estravagario* lleva ilustraciones. En la portada externa, un hombre, desde un navío, mira el sol escondiéndose en el horizonte marino; el primer dibujo, que se antepone a los datos de edición, presenta a otro hombre que señala con cara de enloquecido algo, mientras un grupo masculino lo contempla. La sirena, símbolo de la poesía, se halla también en el poema "Pacá y pallá". Entre los objetos que gustaba coleccionar Neruda en sus casas figuran los mascarones de proa.

de *Tercera residencia* y el *Canto general*, y ese "hombre invisible" que
representa poéticamente los seres cotidianos de las *Odas elementales*, con
parte de las cuales coincide cronológicamente *Estravagario*.

El mito clásico de las sirenas se halla en el canto XII de la *Odisea*, en
el que Ulises resiste a sus voces melodiosas, que hace arrojarse a los
que las oyen al mar, haciéndose atar él mismo a un mástil y ordenando
colocar tapones de cera a los marineros. En vasos de cerámica del mismo
período se representa el pasaje literario dibujando a las sirenas como
mujeres-pájaro, con rostro y torso de mujer, garras, alas y cola de ave.
Según Jacqueline Leclercq Marx (1997)[2], no será hasta la Edad Media
cuando estos seres míticos femeninos se transformen en mujeres-peces,
con su característica cola en lugar de piernas, conservando eso sí la
mirada misógina, como seres infernales que causan la perdición de los
varones que se dejan seducir por su canto y su belleza. Estos seres híbri-
dos, mitad humanos, mitad animales, que guardan semejanza por ello
con los centauros, pasan de vincularse a una seducción más abstracta e
intelectual, a representar las tentaciones de la carne, a través de la desnudez femenina. Por la inclinación medieval a lo maravilloso, forman
parte de la galería de monstruos de los bestiarios y adornan capiteles de
la arquitectura religiosa. Hasta aquí el mito refleja la dualidad hombre-
mujer, con una visión negativa de esta última.

Siglos más tarde hallamos una transformación positiva del mito, pues
la sirena es también un ser en comunión con la naturaleza, que se funde
con el paisaje. Su figura se une a la de las ninfas de la mitología clásica,
entre las cuales las náyades y las nereidas se asocian al elemento acuático,
como las ondinas, mezclando diversas tradiciones culturales. Su belleza
desnuda y voluptuosa dará lugar a imágenes artísticas barrocas alejadas
de las rígidas normas de la vida diaria, para deleite de pintores y mecenas.
En su vertiente de ser bello maravilloso, unido al mundo natural, la sirena
o ninfa permite escapar de la vulgaridad cotidiana. Por consiguiente, con
el paso del tiempo la imagen de la sirena oscilará entre la mujer fatal, que
provoca la perdición del hombre, y la mujer redentora, que hace brotar
sentimientos nobles en el varón que se siente atraído por ella[3].

---

[2] *La Sirène dans la pensée et dans l'art de l'Antiquité et du Moyen Âge.*

[3] Este tipo de estudios es complejo y, al parecer, quedan lagunas. Pueden verse
además, por ejemplo, las voces "Ondina", en el trabajo clásico de E. Frenzel; "Ninfas",
"Sirenas", en I. Aghion y otros. La oposición entre la mujer prerrafaelita y la mujer fatal
está en Hans Hinterhäuser: *Fin de siglo. Figuras y mitos.*

Esta breve introducción, por fuerza un tanto imprecisa e incompleta, habrá servido, no obstante, para mostrar la riqueza de matices que recoge la figura mítica de la sirena a lo largo de la historia; la cual parece centrarse en dos oposiciones: realidad frente a fantasía y posición masculina frente al sexo contrario. Por todo lo expuesto, no es de extrañar que dé origen a obras dramáticas sobresalientes en una etapa de la historia del teatro en que los dramaturgos se esfuerzan por evitar el Realismo y Naturalismo decimonónicos, y que coincide en el tiempo con un período histórico en el que se acelera el protagonismo femenino en la marcha de la sociedad. Cabría añadir que si durante las vanguardias vuelven con valor simbólico los viajeros marinos Simbad y Ulises (evoquemos el influyente *Ulises*, de James Joyce), es natural que, por una asociación de ideas, retornen también las sirenas.

Para ejemplificar la presencia del mito en el teatro hispanoamericano que establece una actitud dialéctica con el Realismo, he tomado a dos autores: Conrado Nalé Roxlo y Francisco Arriví, contrastando sus obras con las de otros dos que les sirven de precedente: Alejandro Casona y Jean Giraudoux.

1.

Emilio Javier Peral Vega (2001), en su estudio sobre el teatro breve español en las décadas coincidentes con las vanguardias históricas (1892-1939)[4], menciona una pequeña pieza juvenil de Gregorio Martínez Sierra: "Sirenas", recogida en sus *Diálogos fantásticos* (1899), que entraría, por su extremada brevedad, en la categoría de poema dialogado. En ella, La Verdad advierte al Hombre del peligro de las Sirenas, que se llaman simbólicamente Riqueza, Placer, Amor y Gloria; la última de las cuales logra seducirlo. Este libro, dedicado a Jacinto Benavente, lleva un prólogo de Salvador Rueda, todo lo cual concuerda con la sensibilidad modernista o simbolista del texto; hay que tener en cuenta asimismo que tanto Benavente, como después Martínez Sierra, serán nombres ligados a los avances del teatro español en la época[5].

---

[4]   En la bibliografía del capítulo introductorio, pp. 98-99.

[5]   He cotejado la explicación de Peral con el texto al que se refiere, en la Biblioteca Nacional de Madrid. En la misma Biblioteca he podido comprobar cómo a partir de la segunda mitad del siglo xix abundan títulos de obras de diferentes géneros con la

La sirena teatral más famosa del período anterior a la guerra civil española será *La sirena varada*, de Alejandro Rodríguez Álvarez, "Alejandro Casona" (Besullo, Cangas del Narcea, Asturias, 1903-Madrid, 1965), a quien el primer gobierno de la República había nombrado en 1931 director del Teatro del Pueblo o Teatro Ambulante, experiencia incluida en el Patronato de Misiones Pedagógicas, que será una de las actividades que contribuyan más a cambiar la vida teatral del país, junto con el teatro de Adrià Gual en Barcelona o La Barraca de Lorca. Según el propio Casona, la obra fue escrita en 1928 y, tras infructuosas gestiones, conseguirá llevarla a las tablas al obtener el premio dramático nacional Lope de Vega, en 1933. Su primera puesta en escena fue enormemente significativa, pues la llevó a cabo la compañía de Margarita Xirgu en el Teatro Español, en 1934, bajo la dirección del que será considerado el primer director moderno del teatro de España, Cipriano de Rivas Cherif. La Xirgu dio vida al personaje principal, Sirena, y su actuación fue muy aplaudida, así como la de Enrique Borrás, en el papel de Samy, y Pedro López Lagar, como Ricardo; todo lo cual hizo que se convirtiera en el gran éxito teatral de la temporada, el primero de su autor como dramaturgo[6]. Todos estos datos son importantes, pues hay que pensar en la dificultad que podría conllevar encarnar en escena al ser mítico, sin caer en la cursilería o el ridículo; la materialización de su entidad fantástica está estrechamente ligada al modo de entender o resolver la oposición entre realidad y fantasía. En este sentido tiene también interés la labor escenográfica, que es el ambiente en el que tienen que desenvolverse los personajes. Los críticos de prensa que contemplaron en su día la primera puesta en escena, hacen hincapié en el valioso trabajo de Sigfrido Burmann, uno de los mejores escenógrafos del momento, cuya labor contribuyó a la renovación del teatro. Dicen de él: "ha sabido ensamblar perfectamente en su escenografía el ambiente fantástico y el real que forman, en admirable contraste, el claroscuro de la obra"; "el

---

palabra sirena. Doy algunos: Luis de Montes: *La sirena: zarzuela en tres actos* (1858); Luis García Luna: *La sirena de París: drama en cinco actos* (1861); Josep Pi i Soler: *La sirena: drama en quatre actes y un cuadro* (1891); Emilia Pardo Bazán: *La sirena negra* (1908); Juan Pintó y Pardo: *La sirena* (1913); Góngora y Sarabia: *La sirena* (1920); Luis Araquistáin: *La sirena furiosa: viaje tragicómico* (1923); Francisco Camba: *La sirena rubia* (1926); Carlos Octavio Bunge: *La sirena: narraciones fantásticas* (1927).

[6]   Aguilera; Aznar Soler (1999): *Cipriano de Rivas Cherif y el teatro español de su época*, 223-230.

decorado de Burmann responde exactamente al tono de extrañeza y misterio de la obra", "Burmann, como siempre, ha logrado una escenografía insustituible para el ambiente –pugna de realidad y fantasía– en que se desenvuelve *La sirena varada*"[7].

En el texto dramático publicado[8], Casona exige un único decorado para toda la obra, siendo, en cambio, relevantes los cambios en la iluminación de los actos. La acotación que describe el escenario al principio del acto I dice:

> *En un viejo caserón con vagos recuerdos de castillo y de convento, pero amueblado con un sentido moderno y confortable. En los muros, pinturas a medio hacer, de un arte nuevo que enlaza con los primitivos. Disimuladas entre cactus, luces indirectas, verdes y rojas.* **Una grata fantasía en el conjunto.** *En el ángulo derecho, una ventana con enredaderas y escalerilla de acceso. Un grueso arco, al fondo, cierra en cristalería sobre el mar; juega en él una espesa cortina. Abierta en el regrueso izquierdo del arco, la pequeña poterna por donde entra el fantasma. Primeros términos, puertas laterales. Es de noche.* (49)[9]

El acto II se desarrolla: *"En el mismo lugar, algún tiempo después. De noche"* (65). El acto III: *"En el mismo lugar. En vez de las luces coloristas y fuertes de los actos anteriores hay una tenue luz blanca íntima"* (81). Transcurre en época coetánea. En general, utiliza acotaciones que tienen que ver con el gesto y la acción que ejecutan los personajes. Sirena carece de una iconografía especial acorde al mito, es sin más una mujer hermosa, dejando hacer al director y al encargado del vestuario. Como se ha señalado[10], la acción de cada acto progresa en función de la inesperada aparición de un personaje: Sirena, en el I, Samy (el clown, padre de Sirena), en el II, y Pipo (el maltratador de los anteriores, empresario del circo), en el III.

En su incursión en el terreno de lo fantástico, Casona no se atreve a ir tan lejos. Ricardo, "señorito", pareja de Sirena, quiere al comienzo de la obra fundar un cenáculo: "Una república de hombres solos donde no exista el sentido común" (53), para lo que ha llamado al payaso Samy, a quien pretende nombrar Presidente del mismo, y en lugar del cual se

---

[7] Id., 229, nota 166.

[8] Cito por la edición crítica de Carmen Díaz Castañón, que toma el texto de las *Obras completas*, en Aguilar, contrastado con el de la primera edición, en *La Farsa*, 1934.

[9] El subrayado es mío.

[10] Por ejemplo, en la "Introducción" de Díaz Castañón.

introduce en la casa Sirena. Él la identifica al principio con "la libertad y la fantasía mismas" (69) diciendo: "Yo amo en Sirena lo maravilloso" (70). Sin embargo, la joven misteriosa que da título a la pieza resulta a la postre una mujer enloquecida por las durezas de la vida, de tal modo que, una vez revelados estos datos, se le cambia incluso el nombre por otro común en la España católica de entonces: María. Las últimas palabras de Ricardo en la obra se refieren a su propósito de curar completamente a la joven de su locura de creerse una sirena, en aras del bienestar del hijo que lleva en sus entrañas. En el contraste apariencia/realidad, fantasía /verdad que se expone en la obra, la mirada posee un valor simbólico. Daniel, joven artista amigo de Ricardo, que desea pintar cosas nuevas, actúa durante toda la obra con una venda cubriendo sus ojos, hasta que al final Ricardo reconoce: "La verdad... hay que mirarla de frente" (95), tacha su cobardía y *"Le arranca la venda"* descubriendo, no obstante, que su amigo tiene *"los ojos blancos, sin expresión"*. De Florín, el médico racionalista amigo de Ricardo, se dice que "Tiene los ojos pequeños" (67), rasgo por el cual Sirena dice temerlo cuando aún está enajenada. Será él quien se encargue de volver a la lucidez a la joven, declarando a Daniel: "Mentirle, no; por dura que sea la verdad, hay que mirarla de frente" (86), y explique a su vez a Ricardo:

> [...] pienso en aquel tu afán de deshumanizar la vida, y mira a los demás. Lo que para ti era un simple juego de ingenio era para ellos dolor; operabas sobre carne viva. Y no viste la locura de María, ni el hambre miserable de Samy, ni siquiera la tragedia pueril de ese pobre Fantasma que tenía miedo de su propia sombra y se moría de fe por los desvanes. (87)

Del malvado Pipo destacan tanto Samy como Sirena que tiene los "ojos fríos, pequeños" (84, 89).

A diferencia de lo que sucede con Sirena, la protagonista, entre los personajes hay otro de menor entidad pero cuyo sesgo fantástico se mantiene, que es El fantasma de don Joaquín, quien deambula por el caserón evocando el personaje jocoso del relato de Oscar Wilde y cuyo origen y proceder carece de una explicación racional en la obra, sosteniendo el dramaturgo, en este caso, la ambigüedad hasta el final.

El contraste entre la obra de Casona, por su asunto, lenguaje y personajes, y el costumbrismo imperante, hicieron que fuese calificada de teatro fantástico y poético, adjetivos empleados para acusarlo de escapismo años más tarde, lo cual se entiende en los 60 por el auge de un teatro realista, de compromiso político y social. Sin embargo, Casona rectificaba dichos juicios, subrayando cómo en *La sirena varada* se daba supremacía a la verdad sobre la ensoñación, como hemos visto; no en vano el título habla de una sirena *varada* o encallada[11].

2.

Si el éxito de *La sirena varada* estuvo ligado a la dirección de Cipriano de Rivas Cherif, la obra teatral de Jean Giraudoux (Bellac, cerca de Poitiers, 1882 -París, 1944) se desarrolla de la mano de Louis Jouvet, uno de los directores de teatro más influyentes en Francia antes y después de la segunda guerra mundial[12]. Con éste pasa Giraudoux, de ser considerado un novelista impresionista, en el que el estilo tiene más importancia que la historia, a convertirse en uno de los dramaturgos principales del momento.

Giraudoux crea *Ondina* al final de su período más fecundo como creador y la obra se estrena en el Teatro del Ateneo de París, en mayo de 1939, bajo la dirección de Louis Jouvet. En el papel de Ondine actuaba la reconocida actriz Madeleine Ozeray y en el del caballero Hans, el propio Jouvet. La obra obtuvo asimismo un éxito clamoroso, manteniéndose en cartel hasta 1940, con la ocupación alemana. En el estreno fue autor de la música Henri Sauguet y del decorado y el vestuario Pavel Tchelit-

---

[11] Es interesante la entrevista concedida por Casona a José Monleón, en *Primer acto*, enero de 1964, donde a mi juicio, para justipreciarla, hay que tener en consideración tanto las ideas del dramaturgo como las del crítico. Dice allí Casona (16): "*La sirena varada* fue técnicamente revolucionaria, por plantear nuevos problemas y presentar nuevas formas teatrales. Por ejemplo, el diálogo no es nunca narrativo; no hay escenas preparatorias ni exposición de antecedentes. Y la luz, si no es protagonista como pedía Gaston Baty, sí es personaje. También fue nueva la intervención de la lírica −excesiva, hoy lo reconozco, pero entonces lo sentía así− y un enfrentar la realidad y la fantasía, triunfando finalmente la primera a pesar de vestir a esta última con las mejores galas". Concluye Hilda Bernal Labrada, en *Símbolo, mito y leyenda en el teatro de Casona* (1972): "A pesar de la utilización de un ser fabuloso, *La sirena varada* se desarrolla en el plano de la realidad verosímil" (117).

[12] Este hecho es subrayado por Jean-Pierre Giraudoux, hijo del escritor, y Jacques Body en sus respectivos prefacios al teatro completo de Giraudoux. Body recuerda que, de las quince obras teatrales que deja terminadas, trece fueron llevadas al teatro por Jouvet.

chew. El trabajo de este último, muy esmerado, fue considerado excesivo dada la riqueza verbal de la obra[13]. Como sucedía en *La sirena varada*, la dificultad escenográfica estribaba en conseguir el ambiente adecuado a su asunto. Cabe aplicar a *Ondina* las palabras de Jouvet para llevar a las tablas *Intermezzo*, del mismo autor, donde interviene un espectro:

> La représentation doit se situer *aux confins du réel et du rêve* ; les personnages, le décor, le jeu doivent s'y opposer subtilement, dans une chassé-croisé d'hallucination et de calme, de douceur et de tragédie[14].

En algunos momentos de *Ondina* se habla de la historia como un sueño[15], que podía ser, como señala Jouvet, una forma de encarar la puesta en escena.

En el texto dramático Giraudoux hace escasos cambios de decorado: "*Une cabane de pêcheurs. Orage au-dehors*" (*Una cabaña de pescadores. Tormenta afuera*), en el acto I; "*Salle d'honneur dans le palais du roi* " (*Salón de honor en el palacio real*), con ventanas que dan a un jardín y a una vista de la orilla del lago donde se situaba la cabaña de pescadores anterior, en el acto II; "*La cour du château*" (*El patio interior del castillo* de Hans), en el acto III, quedando el país y región donde transcurren los hechos de modo indeterminado. La localización temporal apunta al Medievo, época en que se sitúan muchos cuentos de hadas, por la existencia de un caballero armado (Hans), reyes, el castillo de aquél y el palacio de éstos, etc. Esta indeterminación espacio-temporal concede a la obra un valor simbólico universal. El dramaturgo hace, en cambio, observaciones precisas sobre la iluminación.

El carácter poético del texto y la ambigüedad con que se desarrolla le otorgan una interpretación abierta, plurisemántica, más amplia que la que cabe atribuir a *La sirena varada* de Casona y a las obras dramáticas hispanoamericanas a las que me referiré posteriormente. El lenguaje de Giraudoux es musical e intercala en *Ondina* pasajes líricos (en *La sirena*

---

[13] J. Robichez: *Le théâtre de Giraudoux*, 40.

[14] El subrayado es mío. Traduzco: "La representación se debe situar *en los límites entre lo real y el sueño*; los personajes, el decorado, la acción deben oponerse en esto sutilmente, en una contradanza de alucinación y de calma, de dulzura y de tragedia". Louis Jouvet: "Décoration d' *Intermezzo*"; cito por J. Robichez (1976), 25.

[15] Cito por su *Théâtre complet*, pp. 775, 781. Aunque he consultado la traducción de Fernando Díaz Plaja, bastante libre, he optado por ofrecer una versión mía en español.

varada también, recuérdese la paráfrasis del *Cantar de los cantares*, en boca de Sirena, al final del acto I).

Giraudoux basa *Ondina* en el relato "Undine" (1811), del autor romántico alemán Fréderic de la Motte-Fouqué[16], evocando simultáneamente los cuentos infantiles "La sirenita", de Hans Christian Andersen (sirena buena) y "La ondina del lago", de los Hermanos Grimm (ninfa mala). Giraudoux escribe la pieza en unos años en los que las relaciones políticas entre Francia y Alemania son muy tensas, no en vano su país se verá invadido por la Alemania nazi a pocos meses de estrenar la obra, como he mencionado. Giraudoux siempre fue proclive al entendimiento franco-alemán y luchó por él tanto con diversas actuaciones como con su obra literaria. El romance entre el caballero Ritter Hans von Wittestein zu Wittestein y la hermosa Ondina, ha sido interpretado como una propuesta de unión de dos almas nacionales, con lo mejor de cada una[17], aunque en el acto III la protagonista fracase en su intento de llevar a buen puerto su pasión, lo que supone una derrota en los hechos pero no moral, pues Hans fallece manifestando su amor por la ninfa.

A otro nivel, Hans ha sido visto asimismo como un ser humano tentado por el absoluto (Ondina), siguiendo la estela de Siegfried y Parsifal. A la inversa, Ondina sería la perfección atraída por las limitaciones humanas. Giraudoux utiliza en la pieza acciones simbólicas, como cuando Hans se despoja de su armadura al caer rendido de amor por Ondina, en el acto I. La pareja de Hans y la rival de Ondina (Berta), representarían, por otra parte, el dominio del prosaísmo, lo real, mientras que Ondina se vincularía a lo fantástico, la utopía. Ondina encarna la pureza, el mundo natural, con el sentido metafórico del agua de la que procede; usando un lenguaje de nuestros días, la obra comporta un mensaje ecologista. Augusto[18], su padre putativo, dice a Hans de ella: "la nature d'Ondine est la nature même", p. 780 (la naturaleza de Ondina es la naturaleza misma). Uno de los pasajes más emblemáticos del drama es cuando, por la intervención del rey de las Ondinas disfrazado de Ilusionista, Hans y Berta se reencuentran y Berta provoca la muerte de un pajarillo, que oculta en el interior de su mano

---

[16] Es un relato fantástico inspirado en cuentos folclóricos; en él, como en Giraudoux, Ondina y su rival humana (aquí Bertalda) tienen caracteres opuestos y se enfrentan por el amor del caballero (Huldebrando, en la traducción que manejo).

[17] En, por ejemplo, Robichez (1976).

[18] Díaz Plaja en su traducción lo llama Antonio.

(simbólicamente Ondina y su frágil amor).

Otra interpretación frecuente ha sido ver que en la obra se trata de las relaciones entre el hombre y la mujer, de una manera genérica. Hans se enfrentaría a dos tipos de mujer, representados físicamente a la manera finisecular: De Ondina, "naïade", p. 763 (náyade), por lo demás escasamente descrita, se dice que posee una cabellera rubia; en cambio, Berta, su rival, posee un pelo negro ensortijado. Es decir, que la primera es imaginada como la mujer prerrafaelita, de aspecto angelical, redentora del hombre, mientras que la segunda sería la mujer fatal, que causa su perdición[19]. Ondina habla de Berta como "une femme noire", p. 776, "une espèce de démon", "leur ange noir", p. 777 (una mujer negra, una especie de demonio, su ángel negro). Doy el pasaje, en el acto II, donde Berta explica esto a Hans, estableciendo la antítesis:

> Mon secret, Hans? Mon secret et ma faute? Je pensais que vous l'aviez compris. C'est que j'ai cru à la gloire. Pas à la mienne. À celle de l'homme que j'aimais, que j'avais choisi depuis l'enfance, que j'attiré un soir sous le chêne où petit fille j'avais gravé son nom... Le nom aussi grandissait chaque année !... J'ai cru qu'une femme n'était pas le guide qui vous mène au repas, au repos, au sommeil, mais le page qui rabat sur le vrai chasseur tout ce que le monde contient d'indomptable et d'insaisissable. Je me sentais de force à rabattre sur vous la licorne, le dragon, et jusqu'à la mort. *Je suis brune.* J'ai cru que dans cette forêt mon fiancé serait dans ma lumière, que dans chaque ombre il verrait ma forme, dans chaque obscurité mon geste. Je voulais le rouler au coeur de cet honneur et de cette gloire des ténèbres dont je n'étais que l'appeau et le plus modeste symbole. Je n'avais pas peur. Je savais qu'il serait vainqueur de la nuit, puisqu'il m'avait vaincue moi-même. Je voulais qu'il fût le chevalier noir... Pouvais-je penser qu'un soir tous les sapins du monde allaient écarter leurs branches devant *une tête blonde*? (798)[20]

¿Mi secreto, Hans ? ¿Mi secreto y mi falta ? Pensaba que lo habías comprendido. Yo creía en la gloria. No en la mía. En aquella del hombre que amaba, al que había escogido desde la infancia, al que atraje una tarde bajo el roble, donde siendo una pequeña niña había grabado su nombre... El nombre también crecía cada año... Yo había creído que una mujer no era el guía que conduce a la comida, al reposo, al sueño, sino el paje batidor que conduce al verdadero cazador todo aquello que el mundo contiene de indomable e

---

[19]   Remito nuevamente a Hinterhäuser: *Fin de siglo: figuras y mitos.*

[20]   Las cursivas son mías.

inasible. Me creía con fuerzas para llevaros al unicornio, al dragón y hasta a la muerte. *Yo soy morena*. He creído que en este bosque mi prometido estaría bajo mi luz; que en cada sombra reconocería mi forma, en cada oscuridad mi gesto. Quería empujarlo al corazón de este honor y de esta gloria de tinieblas, de las que yo no era más que el reclamo y el más modesto símbolo. No tenía miedo. Sabía que él sería vencedor de la noche, porque me había vencido a mí misma. Quería que fuese el caballero negro... ¿Podía imaginar que una noche todos los abetos del mundo iban a apartar sus ramas ante *una cabeza rubia*?

En el mismo acto II , Ondina, enfadada, se compara a Berta:

Mes cheveux? Qu'-a-t-elle à dire de mes cheveux ! J'aime mieux mes cheveux en filasse, comme elle dit, que ses nattes comme des serpents. Regardez-la, Altesse, elle a des vipères pour cheveux ! (811-812)

¿Mis cabellos ? ¡Qué tiene que decir ella de mis cabellos ! Prefiero mis cabellos de estopa, como dice ella, que sus trenzas como serpientes. ¡Miradla, Alteza, tiene víboras en lugar de cabellos!

La reina Isolda define a Ondina:

Tu es la clarté, il a aimé une blonde. Tu es la grâce, il a aimé une espiègle. Tu es l'aventure, il a aimé une aventure... (816)

Eres la claridad, él ha amado a una rubia. Eres la gracia, él ha amado a una revoltosa. Eres la aventura, él ha amado una aventura...

El atributo característico de Ondina como sirena, poseer una cola de pez en lugar de piernas, es mencionado pero no se ve, cuando se presenta a la joven humanizada en los dos primeros actos. De hecho ella misma lo destaca para alejar a Hans del canto de otras ondinas, sus hermanas, que intentan seducirlo, al final del acto I:

ONDINE: Tu ne vois pas qu'elle n'a pas de jambes, de jambes séparées, qu'elle a une queue... Demande-lui de faire le grand écart, pour voir... Moi je suis une vraie femme... Moi je le fais... Regarde !... (784)

ONDINA: No ves que ella no tiene piernas, piernas separadas, que tiene una cola... Pide que se muestre claramente para ver... Yo, yo soy una verda-dera mujer... Yo lo hago... ¡Mira!

En el acto III, Berta, para retener a Hans al reaparecer Ondina, utiliza el argumento de su problemática condición de mujer:

> Toi seul ne voyais pas. Tu seul n'as pas remarqué qu'elle n'employait jamais le mot "femme". (828)

> Tú eres el único que no lo ves. Tú eres el único que no ha advertido que ella jamás emplea la palabra "mujer".

Es aquí, en el desenlace de la historia, cuando se insiste en el aspecto físico de Ondina como sirena, que hace que uno de los pescadores que la ha atrapado en su red la denomine "le monstre" (830, el monstruo), reconociendo otro pescador, poco después, que al atraparla la han golpeado cruelmente en la cabeza, causándole una herida de la que brota sangre. Si los jueces que intervienen en el acto III emplean como argumento negativo contra Ondina su condición sobrenatural (836, 838), Hans sólo le achaca un excesivo amor por él, que raya en la blasfemia (839).

Del teatro de Giraudoux se dirá también que es "un teatro literario", denominación que puede justificarse, en parte, por el cambio de género que ha efectuado el autor, del oficio narrativo al de dramaturgo. Según Robichez (1976, cap. II), este teatro literario tendrá como características: sus abundantes referencias culturales (Giraudoux practica entre ellas la transposición de arte simbolista), el cuidado del estilo, las digresiones, los pasajes rimados (el verso sirve para subrayar), el tipo de vocabulario donde sobresalen los anacronismos, la utilización de juegos de palabras, los asuntos como "moralités légendaires" (moralidades legendarias), expresión aplicada a Laforgue pero que Robichez extiende a Giraudoux. Como veremos, estos rasgos estarán asimismo en *La cola de la sirena*, de Conrado Nalé Roxlo.

Si bien, como sucedía a Casona, los calificativos dados a su teatro, "teatro poético", "teatro literario", serán empleados ocasionalmente para desprestigiarlo, tachándolo de "teatro minoritario" en oposición al teatro realista comprometido, más asequible para la mayoría, la fuerza imaginativa de Giraudoux ha sido ensalzada por todos y por ella hay quien lo considera revolucionario. Tal como señala un traductor de *Ondina* al español, Fernando Díaz-Plaja, merece la pena reproducir las palabras con las cuales el dramaturgo cubano José Triana elogia el teatro de Giraudoux[21]:

---

[21] Citado por Díaz Plaja en la "Introducción" de su versión al español (pp. XVI-XVIII). Díaz Plaja no da los datos completos de la cita, sólo indica que procede de un prefacio

Se puede afirmar que todos los personajes de Giraudoux exigen desesperadamente un mundo mejor, más conforme a sus necesidades, a sus ideas o sus sueños. De ahí ese replegarse sobre sí mismos, esa integración, esa interiorización que hace de ellos los portavoces de una realidad más profunda, a veces utópica, pero que no admite la evasión ni la renuncia a lo que ellos mismos son. Lo que buscan, lo que descubren siempre es la renovación de la existencia y de la realidad, su transformación... [...]

Su capacidad de crear, de creer en posibilidades nuevas y en la vida misma hace de ellos al mismo tiempo los mejores símbolos de la imaginación. Una imaginación auténtica, rebelde, cuya furiosa exigencia es para cada hombre un código personal en que la libertad, la belleza y el amor ofrecen una serie infinita de variantes, una perpetua novedad. El pensamiento, la imaginación, considerados como material original, así como el propio cuerpo, siempre cambian y siempren sorprenden. Esta concepción niega fundamentalmente la concepción burguesa del hombre en que toda posibilidad de rebeldía es negada so pena de catástrofe y condenación.

[...] en el terreno cultural las armas burguesas han alcanzado un grado de sutileza verdaderamente aniquilador. Un escritor, un pintor o un escultor de ideas progresistas quizá lleven a cabo su obra sin demasiada hostilidad aparente. En la mayoría de los casos ese artista será encasillado por la crítica burguesa en un cuadro tal que el peligro que representa se halla camuflado y su concepción del mundo se convierte en pólvora mojada. [...]

Y esto es lo que ha ocurrido con Giraudoux. Su teatro ha sido etiquetado "teatro de salón" o "de minorías". Los críticos han querido ver en él al inventor de un estilo, más que al portador de un rechazo agresivo del mundo que le rodeaba.

3.

En 1937 Alejandro Casona pasa a Francia como director artístico de la Compañía de Josefina Díaz de Artigas y Manuel Collado, con los cuales emprende después una gira por Hispanoamérica. Viajará a Ciudad de México, La Habana, Caracas, Montevideo, fijando su residencia, como exiliado, en Buenos Aires, en 1939. Allí permanecerá hasta su vuelta definitiva a España, en 1962. Cipriano de Rivas Cherif estará al servicio de la República durante la guerra civil, hasta su huida a Francia con Manuel

---

a las obras dramáticas del francés.

Azaña, su cuñado, en el 39; ese mismo año será apresado y enviado a las cárceles franquistas hasta 1946, cuando será puesto en libertad. Desde entonces, hasta la fecha de su muerte, en 1967, Rivas Cherif continuará su labor teatral en Hispanoamérica: México (1947-1949), Puerto Rico (1949-1953), Guatemala (1953), nuevamente México (1953-1967)[22]. Jean Giraudoux fallecerá en París, en 1944, antes de la liberación de la ciudad. Con la ocupación nazi, Louis Jouvet abandonará Francia, llevando como director a Brasil y a Argentina *Electra*, *La guerra de Troya no tendrá lugar* y *Ondina* de Giraudoux, entre 1941 y 1942[23]. Al acabar la gran guerra, Jouvet volverá a su país, donde continuará su "teatro de arte". Me parece oportuno recordar este haz de relaciones porque es así como se produce el desarrollo cultural.

El 20 de mayo de 1941 se estrena en el Teatro Marconi de Buenos Aires *La cola de la sirena*, de Conrado Nalé Roxlo (Buenos Aires, 1898–1971), con la Compañía Argentina de Teatro Moderno, bajo la dirección del director porteño de origen italiano Enrique Gustavino, a quien el autor dedica la obra. Hay que precisar que Gustavino será uno de los hombres de teatro que se empeñen más en llevar a la Argentina las novedades del teatro extranjero, como director, traductor de Pirandello y de otros autores del grotesco italiano, crítico teatral, etc.[24]. Como testimoniaba el crítico Arturo Berenguer Carisomo elogiándola, *La cola de la sirena* fue la obra más aplaudida de la temporada; escribe:

> Pieza muy bien pensada, donde la fantasía queda normal y poéticamente transferida a la realidad, de un humano y trascendente humorismo, cuajada de deliciosos detalles, fue, a pesar de su vuelo, y lo subrayo, el éxito más sostenido de ese año teatral[25].

La ruptura con el Realismo que plantea en el teatro comercial, es paralela a las novedades del teatro independiente argentino, que se inicia, como se sabe, en la fundación del Teatro del Pueblo por Leónidas Barletta, en 1930, al que siguen numerosos grupos que modificarán la

---

[22] Aguilera; Aznar Soler 1999.

[23] Robichez, cap. I: "La carrière de Giraudoux au théâtre".

[24] Perla Zayas de Lima (1990): *Diccionario de Directores y Escenógrafos del Teatro Argentino*, 150-151.

[25] Prólogo a *Teatro argentino contemporáneo*, p. XXXV.

concepción del teatro[26]. Siendo Nalé Roxlo un escritor que puede ser calificado hoy en día de "olvidado"[27], pocos tienen en consideración su larga amistad con Roberto Arlt (1900-1942), un narrador y dramaturgo capital en la transición de estilos.

Para calibrar bien la obra de Nalé Roxlo es preciso saber que se dio a conocer como poeta en la generación argentina de 1922, a la que corresponden cronológicamente autores tan dispares como Jorge Luis Borges, Leopoldo Marechal, Oliverio Girondo, Francisco Luis Bernárdez, Eduardo González Lanuza o César Tiempo[28]. Redactor del diario *Crítica*, se hizo famoso como autor satírico bajo los seudónimos Chamico y Alguien, en artículos recopilados luego en libros. En esta última faceta destacan sus *Antologías apócrifas*, donde remeda burlescamente el estilo de escritores de diversos géneros; entre los que se hicieron célebres también como dramaturgos, imita, por ejemplo, al mencionado Roberto Arlt, Oscar Wilde, Eugene Ionesco, Eugene O'Neill, Enrique Jardiel Poncela[29]. Como dramaturgo, Nalé Roxlo estrena, tras *La cola de la sirena*, *Una viuda difícil* (escrita con anterioridad), *El pacto de Cristina*, *Judith y las rosas*, entre otras obras. Pionero del cine argentino donde intervino sobre todo como guionista, en 1957 será llevada a la pantalla *Una viuda difícil*. Interesante autor de cuentos, sobresale en el campo de la literatura infantil argentina, en la que se considera un clásico *La escuela de las hadas*. Este pequeño resumen está vinculado a diversos aspectos de *La cola de la sirena*, que paso a comentar.

---

[26] En cualquier historia del teatro argentino; puede verse, por ejemplo, la de Luis Ordaz (1957) o la *Historia del Teatro Argentino en Buenos Aires*, dirigida por Osvaldo Pelletieri.

[27] Así aparece en internet, pues raramente se suele nombrar fuera de su país; como excepción, en el 2003 se ha publicado en Sevilla una serie suya de *Apócrifos españoles*.

[28] Siendo una generación tan brillante, con grupos definidos, a Nalé Roxlo se le dedica escasa atención; cfr. Susana Zanetti (dir.): *Historia de la literatura argentina*, vol. 4: *Los proyectos de la vanguardia*.

[29] Aunque María Hortensia Lacau, en *Antología apócrifa*, llame la atención sobre la escasez de dramaturgos; este hecho se corrige en su *Nueva antología apócrifa*. Lacau asimila a Nalé Roxlo con *pasticheurs* franceses, citando a Paul Reboux o Charles Muller, diferenciando al argentino de éstos por manifestar simpatía hacia los autores que imita. A manera del Góngora culterano (y, agrego yo, también de poetas vanguardistas como Gerardo Diego), Nalé Roxlo posee una apócrifa "Fábula del bombero y la ninfa", donde la joven se define "sirena gentil a quien se pesca/ en dura red, contraria a su deseo".

Siguiendo con el estreno de *La cola de la sirena* conforme al programa impreso[30], actuaron en los papeles principales Delfina Jauffret, como Alga (la sirena), Américo Vargas, como Patricio (su pareja), Olga Hidalgo como Gloria (su rival), Eduardo Riveira como Marcelo (el poeta, amigo de Patricio), etc. La obra contaba con una música original para las canciones intercaladas en el texto, del maestro Salvador Merico. En el mismo programa se omite el nombre de los encargados de los decorados y el vestuario, muy relevantes en esta puesta en escena, ya que Nalé Roxlo propone en el texto una escenografía compleja, con cambios relevantes entre actos y cuadros, que exige bastante pericia a sus ejecutores y un local con recursos. El autor no sólo la describe en extensas acotaciones, sino que intercala indicaciones muy concretas en los diálogos. Por ejemplo, transcribo la primera acotación[31]:

> *La cubierta de un velero. La proa se supone a la izquierda. A popa, una caseta con puerta al centro y a un pasaje que debe quedar entre ella y el público. Otro igual del lado del mar. Al centro, gran mástil cuyo tope se pierde en la altura, con cuerdas y una escala. Hacia proa, una escotilla y otra caseta, muy baja, delante de la cual habrá plantas en tarros y macetas. En la pared, un acordeón y una jaula con un canario. Entre el mástil y los camarotes de proa, una mesa y dos sillones de paja. Junto a los camarotes, una larga reposera de caña de la India con vistosa colchoneta. En primer término, un gran rollo de sogas y un ancla.*
>
> *Al fondo, el mar en calma y un hermoso crepúsculo tropical.*
>
> *Al levantarse el telón, MIGUEL sentado contra la borda del foro, compone una red. PIETRO riega las plantas. LUCAS, en primer término, trajina con unos viejos faroles; a su lado, EL NEGRO, que lleva por todo traje un pantalón azul remangado hasta las rodillas.*
>
> *El barco se llama "Stella Maris". (95)*

A lo largo de la pieza, Nalé Roxlo insiste en el uso de una iluminación acorde a momentos precisos del día. En las acotaciones maneja hábilmente los silencios de los personajes; por ejemplo, nada más comenzar

---

[30]   El reparto se transcribe en la edición mencionada de *Teatro argentino contemporáneo*; se recoge una fotografía del programa en Luis Ordaz: *Los poetas en el teatro*, capítulo 90 de la *Historia de la literatura argentina*, p. 568.

[31]   Cito por la antología *Teatro argentino contemporáneo*. La obra se recoge asimismo en Conrado Nalé Roxlo: *La cola de la sirena*; Román Gómez Masiá: *Temístocles en Salamina*; Osvaldo Dragún: *Los de la mesa 10*, Buenos Aires, Centro Editor de América Latina, 1968, "Biblioteca Argentina Fundamental", lo que prueba su estimación.

la acción dramática, la tripulación del barco escucha el canto de una sirena:

> LUCAS.- (*Sonríe, encogiéndose de hombros. Termina de encender un farol y lo alarga al NEGRO.*) ¡Listo! (*EL NEGRO lo toma y comienza a subir por la escala. TAO, con chaquetilla blanca y una bandeja con una botella y dos vasos, sale por la escotilla de proa y se dirige a la mesa, pero a mitad del camino, en medio de un paso, se detiene en actitud de escuchar. MIGUEL levanta la cabeza de la red y queda con un hilo en la mano, escuchando él también. EL NEGRO, en mitad de la escala, en actitud de quien escucha. LUCAS, que acaba de encender una lámpara, se queda lo mismo que los demás con el fósforo encendido hasta que se quema los dedos, soltándolo entonces pero sin darle importancia: tan abstraído está en lo que escucha. PIETRO, que estaba regando una maceta, levanta la cabeza bruscamente para escuchar y el agua le cae en los pies, cosa que no advierte. EL COCINERO, con gorro y un gran cuchillo en la mano, asoma, un instante después de iniciado el silencio, por la escotilla de proa y queda escuchando con medio cuerpo afuera, los codos apoyados en la cubierta. El éxtasis debe prolongarse alrededor de medio minuto. Después se rompe bruscamente y todos vuelven a la realidad, como quienes acaban de asistir a un prodigio. EL NEGRO lanza una breve exclamación de júbilo infantil y trepa rápidamente la escala, perdiéndose en la altura.*) (95-96).

Los cambios escenográficos y esta meticulosa descripción del movimiento de los actores son diferencias claras con las obras dramáticas extranjeras que preceden a Nalé Roxlo en el tema, con las cuales el argentino establece un diálogo intertextual; el análisis comparativo nos ayudará a comprenderlo. Como Casona y Giraudoux, Nalé Roxlo se vale de acciones y elementos simbólicos; por ejemplo, en el acto III, cuando se empieza a tratar de la derrota de Alga frente a su rival, se menciona un espectáculo pirotécnico en el que se va a quemar la figura de una sirena. En un rasgo de humor antipoético, Nalé Roxlo llama a su sirena Alga, lo cual choca con el halo lírico del personaje[32].

La crítica contemporánea al estreno y publicación de *La cola de la sirena* solía interpretarla aplicándole los mismos juicios que a Casona y Giraudoux: la sirena como encarnación de la fantasía o el imposi-

---

[32] Lacau ha estudiado los procedimientos humorísticos del autor; hace un resumen de ello en el "Estudio preliminar" de *Antología apócrifa*. Entre los procedimientos destaca la importancia del absurdo, de gran modernidad.

ble, frente a la realidad; la dualidad hombre/mujer en general[33]. Sin embargo, yo encuentro en ella un *aggiornamento* de la temática universal, un "acriollamiento", como pongo en el título del capítulo, que refiere su asunto al aquí y ahora de Buenos Aires y a la evolución de la mujer en ese contexto concreto.

La cola de la sirena empieza con la imagen susodicha de un barco, que supuestamente navega por aguas próximas a Corfú, en el mediterráneo griego, donde capturan a la sirena; pero ya en el cuadro segundo la acción se traslada inequívocamente a la capital argentina. Dice la acotación correspondiente:

> El mismo escenario que en el cuadro anterior, sólo que junto al mástil y en primer término se ha levantado, con remos y una lona, una tienda, debajo de la cual yace ALGA, tendida en la reposera y cubierta por una rica tela de colores vivos. Dentro de la tienda cuelgan dos lámparas de bronce encendidas, cuya luz, mezclándose con la dudosa claridad del alba, da a la escena **un aspecto fantástico**. Algunas macetas han sido traídas junto a la tienda. Lejos, en el horizonte, **la silueta vaga de Buenos Aires**. La escena se irá aclarando lentamente. A telón bajado se oirá, como si viniera de muy lejos, la canción que los tripulantes cantarán después, subiendo lentamente de tono, lo mismo que el acordeón, para dar la sensación de que el barco se va acercando. (104)[34]

También apuntan a Buenos Aires este uso del acordeón como acompañamiento instrumental (recordemos su importancia en la música nacional, ej. en los tangos), los nombres de los personajes que hacen eco de un conglomerado racial y cultural con predominio italiano (claramente Pietro y Langarone o, de modo italo-español, según se pronuncien, Patricio y Marcelo, el negro, el japonés), el ambiente burgués cosmopolita (véanse las acotaciones que describen el interior de los salones), incluso detalles nimios, como el nombre del canario que viaja en el barco: "Caruso", ligado a la afición por la ópera en la ciudad.

Si a principio de la obra parece que se va a desarrollar sobre todo el choque entre fantasía/realidad, apariencia/verdad, como hizo anteriormente Casona o, de modo mucho más ambiguo, Giraudoux, o la referida dualidad hombre/mujer en general; paulatinamente se advierte que

---

[33] Véanse, por ejemplo, las opiniones de Berenguer Carisomo en su Prólogo a la obra, o de Carlos Solórzano, en *Teatro latinoamericano en el siglo xx* (1964: 59).

[34] El subrayado es mío.

quizás Nalé Roxlo quiso discutir otra cosa, que tenía más que ver con la vida diaria del país: el proceso emancipador de las mujeres.

Patricio contrata un barco en busca de aventuras. Tras oír su canto, los marineros atrapan con sus redes a la sirena Alga. Patricio, quien hasta ese momento no la ha podido oír, empieza a creer en ella pero desde un estado de embriaguez:

> CAPITÁN.- [...] Cuando usted fletó este barco para recorrer los mares, al azar, en busca de aventuras, yo debí decirle la verdad: lo maravilloso no se encuentra en la tierra, ni en el mar, ni siquiera en el cielo...
> PATRICIO.- Lo sé; no se encuentra en ninguna parte.
> CAPITÁN.- Sí, se encuentra, pero es una flor cuyas raíces están en nuestro corazón. (101)

La sirena atrapada, a quien los marineros admiran dormida como los enanos del cuento de Blancanieves, despierta de su letargo por el beso de Patricio (el príncipe). Nada más declararle Patricio su amor, ella empieza a hacer valer su condición de mujer:

> ALGA.- No, no debe tratárseme como a un pez, sino como a una mujer. Y cuando una mujer cae, ya sea en un lecho o en una red, es porque quiso caer, y ningún hombre, por fuerte que sea, debe atribuirse la responsabilidad de la caída... (109)

Cuando toca el turno de manifestar su amor a la sirena, lo hace sollozando, y al ser interrogada por el origen de sus lágrimas, contesta con un estereotipo:

> ALGA.- Nada..., cosas sin importancia. Las mujeres somos así, lloramos por nada... (110)

Alga explica a Patricio: "No soy más que un reflejo tuyo" (111), fruto de un sueño, lo que, llevado a un discurso actual feminista, sería una mujer exclusivamente al servicio del varón.

El triángulo Hans-Ondina-Berta, que en Giraudoux representaba al hombre enfrentado a dos tipos de mujer, la redentora y la fatal (la rubia y la morena), se reproduce en Nalé Roxlo con un sentido algo distinto. Patricio es el hombre que tiene que escoger entre dos tipos de mujer: Alga y Gloria, cuya apariencia física es indiferente, salvo en la cola que desechará la sirena. Lo que las distingue es, sobre todo, que mientras que Alga es una sirena que pierde su identidad marina por amor a un hombre, Gloria es la mujer que se afirma con proezas masculinas cuando se ve postergada, aunque al final acabe como Alga, renunciando a su vida independiente en aras del amor. La moraleja es clara: Patricio ama a la sirena mientras posee su condición extraordinaria, cuando se opera la cola para convertirse en una mujer común deja de resultarle atractiva; por lo mismo, ama a Gloria cuando se ha convertido en un piloto de aviación sumamente audaz[35] y la propia Alga vaticina a Gloria el desamor futuro, cuando caiga en la rutina para unirse a Patricio y él la vea como una mujer más.

En el diálogo entre Patricio y Gloria del acto II, que sucede en el *"Gran 'hall' en casa de Patricio"* y que evoca el diálogo entre Hans y Berta en el interior del castillo, Patricio saca a colación cómo Alga ha roto el reloj de su madre arrojándolo al suelo, lo cual puede ser interpretado en clave freudiana. Acto seguido, Gloria declara haber sentido envidia de Patricio durante su infancia, por ser "un muchacho varón que puede cazar pájaros con rifle y fumar a escondidas" (113); recordemos que la Ondina de Giraudoux es simbolizada como un pajarillo que muere entre las manos de Berta y Hans, en el pasaje correspondiente. La atracción sexual entre Gloria y Patricio durante su infancia y adolescencia es simbolizada por el fruto del granado.

Las disquisiciones sobre el modo de ser femenino frente al varón continúan. La prima de Patricio, Lía, echa en cara a éste: "Querido primo, eres un tonto. No hay como ser hombre para no entender de mujeres" y él insiste en su definición de Alga: "Es un sueño del que nada podrá despertarme" (116). Poco después, a través del diálogo entre Marcelo y Patricio, se repiten estas ideas:

> MARCELO.- [...] porque amar a una sirena, querido Patricio, es amar un sueño. [...]
> PATRICIO.- (*Pausa.*) Es que parece que toda la estupidez del mundo se hubiera conjurado contra mí, contra Alga, contra nuestro amor. Todos ven en ella al prodigio marino, y nadie tiene respeto por su condición de mujer.
> MARCELO.- Y no debes culparlos demasiado. Mujeres hay muchas; sirenas, una sola, y lo que ella tiene de extraordinario aleja de sí los simples sentimientos humanos. (119)

---

[35] Recuerda a mujeres concretas de las décadas anteriores a la guerra civil española.

Todos advierten con pena que el deseo de Alga de transformarse en una mujer común cambiando su cola por piernas "es como si un pájaro quisiera arrancarse las alas" (PATRICIO, 122) y, como subraya MARCELO: "Los sueños no pueden vivir entre nosotros sino a costa de lamentables mutilaciones" (125).

La pieza alcanza su clímax, en la segunda parte del acto II, en el momento en que se contempla, en la *"Salita íntima de Alga"* (125, nótese el sentido metafórico):

> *A la izquierda, y en primer término, un caballete de pintor en que está clavada la cola de la sirena, recortada en "lamé" de plata.*

Es decir, que Alga, en su intimidad, ha optado por ser una mujer corriente. La intensidad de la escena se subraya con el empleo de un lenguaje poético, en verso. Este recurso para resaltar determinados momentos, asociado a la música, estaba ya en Casona y Giraudoux y lo volveremos a encontrar en Arriví; equivale al empleo de un metro culto frente a los populares (sobre todo redondilla o romance) en el teatro clásico español. El tono lírico y la imagen en escena de Alga, indecisa, rodeada de zapatos, hace pensar en *La zapatera prodigiosa*, de Federico García Lorca. Se repiten ideas antes expuestas y es ahora cuando se constata que al perder su cola Alga ha perdido también su hermosa voz de sirena.

En el acto III, Alga, desmejorada, ha sido llevada a un balneario. Allí está a punto de ahogarse, pues, paradójicamente, es una antigua sirena que ya no sabe nadar; la salva Gloria, de quien ahora se dice "parecía la dueña del mar..., una sirena triunfante" (142). La sustitución se completa en el último cuadro, con Gloria y Patricio enamorados. Alga, que es consciente de lo sucedido, se dirige a los anteriores:

> [A PATRICIO] Yo abandoné mi mundo por el tuyo, renuncié a ser sirena por ti: a un ser extraordinario y brillante que te deslumbraba preferí ser a tu lado una pequeña sombra amante, una sombra que crecía o se achicaba según la luz que tú le prestases... [...]
>
> (*A GLORIA, que llora silenciosamente.*) Y tú no llores, que ya tendrás que llorar después, cuando te hayas cortado las alas para estar a su altura, como hice yo con mi cauda, y entonces le des lástima porque seas tan pequeña como él... (150)

Nalé Roxlo plantea algo que ha puesto de relieve el feminismo contemporáneo, que es la dolorosa disyuntiva que se presenta a muchas mujeres entre su vida afectiva, familiar y su vida pública, profesional. Asimismo parece apuntar a la evolución de la mujer en Buenos Aires, con figuras reales de avanzada, como Alfonsina Storni, de quien hará una biografía en 1965, o Victoria Ocampo, que tanta trascendencia tendrá en la vida intelectual argentina de su generación. David William Foster, en *Buenos Aires. Perspectives on the City and Cultural Production* (1998), dedica un capítulo a lo que él llama (traduzco) "Buenos Aires: un espacio femenino", donde atribuye esta preponderancia, entre otros, a la personalidad de Eva Duarte de Perón (1919-1952), cuya función pública es próxima en el tiempo a la escritura de *La cola de la sirena*.

Para terminar y volviendo a cómo se aborda en la pieza de Nalé Roxlo lo maravilloso, es preciso subrayar el personaje de EL NEGRO, quien "ríe con risa infantil" (95) y es portador de una botella mágica que le entregó su abuela de la Martinica, con un diablillo; la cual sirve, mientras esté cerrada, como amuleto contra los peligros del mar. Simbólicamente, antes de que Alga estuviera a punto de ahogarse, la botella había sido rota por Patricio y Gloria. Una pincelada de lo fantástico hispanoamericano, procedente del mundo negro caribeño.

4.

En 1949 Cipriano de Rivas Cherif es invitado por la Universidad de Puerto Rico, con sede en Río Piedras, para dirigir el Teatro Rodante Universitario, fundado en 1946 por el joven director puertorriqueño Leopoldo Lavandero, inspirándose en el Teatro de las Misiones Pedagógicas de Casona y La Barraca de Lorca. También será el madrileño Profesor Visitante de Arte Teatral en Río Piedras y Mayagüez. En 1951 anuncia un "Curso de Orientación Profesional en las Artes del Teatro Español", impartido por él mismo, el poeta y dramaturgo puertorriqueño Emilio S. Belaval y el "especialista luminotécnico" Francisco Arriví[36]. Me ocuparé ahora de este último y de su particular adaptación del mito a Puerto Rico.

---

[36] Aguilera; Aznar Soler 1999: 419-424.

Francisco Arriví (San Juan, Puerto Rico, 1915) será uno de los forjadores del teatro nacional puertorriqueño, que trata de conjugar la modernización de las técnicas dramáticas con la indagación en la identidad nacional. Como fechas de comienzo de esta renovación se suelen dar el concurso de drama auspiciado por el Ateneo Puertorriqueño, en 1938, y la formación del grupo Areyto, en 1940-1941. En el primer grupo de dramaturgos de este período sobresalen Emilio S. Belaval, cuya obra más famosa es *La hacienda de los cuatro vientos* (1940)[37] y Manuel Méndez Ballester, de quien se destaca *Tiempo muerto* (del mismo año).

Aunque con menor fama internacional, el nombre de Arriví se empareja en la historia del teatro puertorriqueño al de René Marqués[38]. Poeta, ensayista, dramaturgo y reconocido experto en iluminación, la actividad de Arriví en relación al teatro se desarrollará en la Escuela Superior de Ponce, la Sociedad General de Actores, Tinglado Puertorriqueño, la Escuela de Aire y el Servicio de Radioemisión Pública, el Instituto de Cultura Puertorriqueña y Festivales de Teatro. El corpus teatral de Arriví comprende un primer período con la primera versión de *Club de solteros* (1940), *El diablo se humaniza* (1940), *Alumbramiento* (1945) y *María Soledad* (1947). Le sigue una etapa intermedia con los cuentos-teatro *Escultor de la sombra* y *Sirena* (1947), *Cuento de hadas* (1949), *Caso del muerto en vida* (1950). La trilogía que le sigue: *Máscara puertorriqueña*, está formada por *Bolero y Plena* (suite de dos obras tituladas *El Murciélago* y *Medusas en la Bahía*, 1955), *Sirena* (1959) y *Vejigantes* (1956). La siguiente trilogía: *Guiñol absurdo*, está compuesta por una nueva versión de *Club de solteros*, *Jáibol de serpientes* y *Cóctel de Don Nadie* (1964). Su último volumen de teatro se titula *Plural*[39].

El teatro de Arriví forma parte de esa tendencia al "realismo poético" que Jordan Blake Phillips atribuía a varios autores de Puerto Rico[40]. Aunque con distintos niveles en su producción dramática, en su caso se puede hablar de una inclinación al teatro poético, lo que cabe atribuir, como sucede con Nalé Roxlo, a su doble condición de poeta y dramaturgo[41].

---

[37] Puede ser una coincidencia, pero Solórzano (1964: 113) habla de la presencia en esta obra de las brujas martiniqueñas como elemento mágico del Caribe.

[38] Véase, por ejemplo, Morfi 1980.

[39] Para establecer estos datos he dado preferencia a los escritos del autor.

[40] Remito a la Introducción de su *Contemporary Puerto Rican Drama*.

[41] Lo puse como ejemplo de "escritura fronteriza" en la comunicación que presenté en el XXXV Congreso del I.I.L.I., Poitiers, 2004, a través de *María Soledad* y *Cóctel de Don*

La *Sirena* acriollada de Arriví, de la que trataré, es la que se inserta en su trilogía *Máscara*, bajo un título que evoca el grotesco italiano, donde juega un papel central la idea del choque entre el ser íntimo y el ser social, la apariencia y la realidad, y cuyo autor más famoso es Luigi Pirandello[42]. En la trilogía, el tema común es el conflicto que provoca en la isla la convivencia y mezcla de razas, principalmente la negra y la blanca, asunto ligado a la reflexión sobre la negritud en el ámbito internacional y a la literatura afrohispanoamericana, cuya vertiente más conocida es la poesía negra. En su libro sobre el teatro puertorriqueño contemporáneo, el profesor y dramaturgo cubano Matías Montes Huidobro engloba la trilogía de Arriví con el título "Comba", resumiendo, en los respectivos epígrafes, *Medusas en la Bahía* como "El color de nuestra piel", *Sirena* como "La sexualidad del colonialismo", "Arquetipos del mestizaje", y *Vejigantes* como "Síntesis erótica de la historia puertorriqueña"[43].

Como acabo de exponer, otras obras de Arriví encajan bien en lo que puede ser considerado un teatro poético, pero con la excepción –importante– del título y algún otro aspecto que señalaré, *a grosso modo*, su *Sirena* tardía podría ser considerada un drama realista o naturalista de preocupación social. Por su utilización de arquetipos en la concepción de los personajes[44] y la crudeza del lenguaje, Montes Huidobro califica la obra de expresionista. Sin embargo, como expondré, sin tener en cuenta la herencia teatral anterior en el tema de las sirenas, no se puede entender en profundidad lo que el dramaturgo ha querido transmitir.

El drama en dos actos *Sirena*, de Arriví, fue representado por primera vez en el Ateneo Puertorriqueño, en 1959, a cargo del Teatro Experimental de dicha institución. El texto publicado que manejo (en *Máscara puertorriqueña*, 1971) aporta datos sobre una puesta en escena

---

Nadie.

[42] Sobre el influjo de Pirandello en Argentina véase Erminio Neglia: *Pirandello y la dramática rioplatense*, Firenze, Valmartina Editore, 1970. Matías Montes Huidobro (1986) encabeza el título de su libro sobre la dramaturgia de Puerto Rico con *Persona: Vida y Máscara* y Frank Dauster (1962) habla de Arriví como "The Mask and the Garden".

[43] Op. cit. La importancia de la cuestión racial en el teatro contemporáneo puertorriqueño es puesta de relieve en los artículos de Rosa Luisa Márquez, Lydia Milagros González y Jorge Rodríguez aparecidos en *Conjunto*, julio-septiembre, 1991.

[44] Pese a este hecho, Arriví pone a los personajes nombres individuales, salvo en el sueño de Cambucha, donde se utilizan nombres comunes.

en el Teatro Tapia de Ponce, con dirección de Nilda González e iluminación del autor, en la que actuaron en los papeles estelares Luis
Vigoreaux, como Roberto, y Lydia Echevarría, como Cambucha. En
esta ocasión el escenógrafo Rafael Ríos Rey reprodujo el decorado
usado por el Teatro Experimental del Ateneo. A lo largo de la pieza se
escuchan como *leitmotiv* dos coplas de la danza "Vano Empeño", de
Juan Morel Campos:

> VOZ
> ¡Que deje de amarte
> cuando eres mi empeño!
> ¿Dejar de adorarte? ¡Ah!
> Ese es vano empeño.
>
> Si es tuyo mi pensamiento,
> tuyo todo mi ser,
> y la vida que aliento
> si la quieres, tuya es.

Arriví describe la escenografía como un escenario múltiple, donde los
focos de luz dirigen la acción[45]:

> *Una cortina negra rodea el espacio escenográfico.*
> *La iluminación definirá las sucesivas áreas de actuación. A la izquierda, esquema*
> *transparente del perfil de una pequeña casa de madera dispuesto de modo que*
> *permita ver ya sea el cuarto de doña Micaela, ya sea el cuarto de Cambucha. Al*
> *centro, marco de fondo que servirá de constante a las varias transformaciones del*
> *área: oficina de los Almacenes del Valle, oficina del doctor Well, cuarto de hospital,*
> *sala de Cambucha. A la derecha, ala de flamboyán sobre un banco. La escena final*
> *funde la izquierda como cuarto de Cambucha, el centro como sala y la izquierda*
> *como jardín con ala de flamboyán.*
> *Simples marcos lineales indicarán las puertas, fácilmente movibles durante los*
> *oscurecimientos. Dos bastarán para toda la obra. Los actores ejecutarán, cuando sea*
> *necesario, la pantomima de abrir y cerrar hojas de puertas inexistentes.*
> *Izquierda y derecha, las del director.* (134)

---

[45] A diferencia de las obras anteriores y con la salvedad de la pesadilla de Cambucha
que tiene lugar "bajo una lámpara de lágrimas", la obra sugiere el uso de una luz clara
y directa, apropiada al realismo.

El asunto de *Sirena* es extremadamente simple (recordemos la palabra "arquetipos" usada por Montes Huidobro): Cambucha, joven mulata, tiene amores con su jefe blanco, de clase alta, Roberto del Valle. Al saberse encinta, se atormenta pensando en el posible rechazo al hijo por parte de Roberto, que reproduciría la situación vivida por ella cuando su padre blanco se desentendió de ella y de su madre negra. Temiendo esto, acude a un cirujano plástico para que afine sus rasgos, aunque éste le advierta que nunca podrá modificar su color de piel. La operación es un éxito, pero cuando Roberto la vuelve a ver ella nota su repulsa y se desengaña, asumiendo finalmente su origen y la imposibilidad de ser quien no es. Arriví parece asumir esta idea conservadora, de gran importancia en el teatro clásico español, ligada a la dualidad barroca de apariencia/realidad.

Arriví utiliza un corto número de personajes contrapuestos entre sí (otra semejanza con el teatro clásico español): Cambucha forma un triángulo amoroso con el blanco Roberto del Valle y el también mulato Pedro Alejandro. Frente a la pasión exclusivamente carnal de Roberto (se insiste en su obsesión por el cuerpo de la mulata), Pedro Alejandro la ama de modo sincero independientemente de su aspecto físico, como demuestra tras la operación; de él se dice además que es "poeta", recordemos a Daniel (el artista), en la sirena de Casona, y a los "poetas", en las obras de Giraudoux y Nalé Roxlo. La madre de Cambucha, la negra Micaela, espontánea, tierna y generosa, se opone a la madre de Roberto, doña Margot, altiva, egoísta, nada caritativa y llena de prejuicios. La asistenta del doctor, Pepita, es una joven rubia, de cuerpo esbelto y nobles sentimientos. El doctor Well (nótese el simbolismo del nombre), quien ha de operar en esta obra en el plano físico, es de origen norteamericano, y resulta un agudo observador de los complejos raciales que enrarecen la vida social puertorriqueña.

Los personajes centrales se duplican como "Figuras del sueño" de Cambucha (194-197): La joven, El caballero, La negra, La dama vieja, utilizando el recurso barroco del "teatro en el teatro" y el sueño, a la par barroco y reflejo del subconsciente freudiano. Estos dobles, reconocibles por el pelo y el traje, lucen como rostro "un muñón blanco" o "negro", según convenga, "sin facciones", evocando los maniquíes del Surrealismo. En algunos momentos de la obra se dice que los personajes son vistos como una "estatua" (Cambucha, Roberto, 179, 229), lo cual está también relacionado con lo anterior[46]. En este pasaje se oponen la "danza Vano Empeño", ligada a los blancos, a la "bomba" de la negra, que será el ritmo que finalmente siga el caballero, pese a la oposición de la joven y la dama vieja.

En su afán didáctico, Arriví no se limita a una esquematización de la trama y los personajes, sino que exige una caracterización marcada a los actores.Por ejemplo, para la pareja protagonista requiere:

> *Roberto contará veintiocho años. De estatura entre alta y regular. Su tez perla contrasta con su pelo lacio de color negro. Sus facciones fijan trazos cortantes en la boca, la nariz y los arcos superciliares. Pudiera ser musculoso si la preocupación del negocio no le hubiera robado el tiempo para faenas atléticas. La falta de las mismas le ha desarrollado una incipiente flacidez. Respira una fácil simpatía al tiempo que la determinación de conservar floreciente el prestigioso almacén de su padre. Sus modales revelan al hijo de antigua familia pudiente: complacencia desde lo alto, amabilidad por costumbre, solidaridad consciente e inconsciente con su clase y seguridad en el origen de su raza. Esta tarde viste camisa y pantalones blancos, ambas piezas de hilo finísimo. Una corbata de seda roja le adorna el pecho. [...]*
>
> *Cambucha contará veintidós años. Anfórica de formas sin caer en la gordura. Su carne irradia una fresca sensualidad en contra del deseo de la muchacha quien se esfuerza inútilmente por disimular su atractivo sexual. Su mulataje es obvio: pelo ensortijado, facciones abultadas, piel acanelada, ojos apestañados gruesamente, muy líquidos y abiertos, biología prepotente. Una soterrada tristeza casi congoja, le rezuma en los gestos y en la voz. Tal parece que la danza moreliana hubiera encarnado en ella. En esta tarde viste blusa crema para aliviarse la oscura color de la tez y falda negra para reducirse la amplitud de las caderas. Porta una libreta taquigráfica en su mano izquierda.* (135-136)[47]

La acción se supone en época coetánea y el autor la sitúa en Ponce, segunda ciudad de Puerto Rico, donde tienen más arraigo las costumbres coloniales frente a la capital; lugar que conoce bien Arriví por haber impartido allí clases de Lengua y Literatura Españolas, en su Escuela Superior, entre 1938 y 1941.

---

[46] Dediqué hace años un artículo a la estatua en las obras (no sólo poéticas) de Xavier Villlaurrutia: "La estatua, símbolo constante en la obra de Xavier Villaurrutia", comunicación en XXVII Congreso del I.I L.I., México D.F., 1988; publicada en *Panoramas de Nuestra América*, México, UNAM, 2, 1993, pp. 63-72; posteriormente incluida en mi libro *Fuentes europeas-Vanguardia hispanoamericana*, 1998.

[47] Véanse también las descripciones de otros personajes: Doña Margot, Micaela y Pedro Alejandro, pp. 154, 164 y 165 respectivamente.

En el diálogo inicial entre Roberto del Valle y su secretaria, el empleo en el almacén de telas, con la diversidad de tejidos, servirá como metáfora de las diferentes condiciones raciales y sociales de la isla, desde la más distinguida a la más humilde, donde las cosas pueden parecer lo que no son[48]. El lenguaje de la obra muestra crudamente la realidad de los prejuicios raciales, lo que seguramente hubo de escandalizar a la sociedad de Ponce. Por ejemplo, Doña Margot irrumpe en el comercio de su hijo y se dirige a la pareja protagonista; extraigo fragmentos de sus reproches:

> DOÑA MARGOT [a Cambucha]
> ¿De qué familia es usted?
> CAMBUCHA
> Desconocida en la sociedad de Ponce.[...]
> [Cuándo ésta se ausenta prosigue aquélla]
> DOÑA MARGOT [a Roberto]
> (Abiertamente, dejando brotar varias molestias.) ¿No la podías buscar más prieta?
> Roberto hace un ademán.
> DOÑA MARGOT
> Nunca vi juntos tanta pasa, tanto hocico y tanto bembe.[...] En mis tiempos una persona así servía para colar café y tirar de la hamaca, nunca para un puesto de secretaria en una firma como ésta. [...] ¿Por qué, entonces, tenías que escoger ese tizón? [...] Se te fueron los ojos detrás de los senos y las caderas de la mulata. Crónico mal de este sarnoso país. Ahora se hunde más rápidamente que nunca. Y tú quieres sumarte a la marejada del Congo. (156-158)

Para subrayarlo, la propia Cambucha repite ante Pedro Alejandro las palabras de Doña Margot:

> CAMBUCHA
> (Inesperadamente.) Pasúa, hocicúa y bembúa.
> Pedro Alejandro se echa atrás, sorprendido del lenguaje de Cambucha.

---

[48] Montes Huidobro (1986), hace ver la "cosificación" de Cambucha. Dice, por ejemplo, la joven: "En las fiestas de carnaval, me acercaba a la puerta del casino y veía pasar, radiantes de piel y de seda, a las jóvenes de sociedad. Contemplaba luego mi color oscuro y mi traje de tela barata, cosido por mi madre. Entonces las jóvenes me parecían un sueño. Me resultaba inconcebible que viviera en la misma ciudad con ellas, que el mismo aire nos llenara los pulmones y el mismo cielo nos penetrara los ojos, que... (mirando a Roberto), que sintiendo lo mismo, el color nos distanciara tan extrañamente". (149)

CAMBUCHA
¡Un tizón!
Pedro Alejandro la mira extrañado.
CAMBUCHA
En otros tiempos servía para colar el café y tirar de la hamaca.
PEDRO ALEJANDRO
¡Cambucha!
CAMBUCHA
Mis senos y mis caderas convierten en perros a los blancos. (171)

Como comentan la joven Pepita y el Doctor Well: "El 'paraíso del trópico' oculta su infierno" (183). Para el Doctor, la transformación que pretende Cambucha "resulta en una repugnante máscara. La única y verdadera poesía nace de lo auténtico" (189). A su vez, opina Micaela: "El mundo está loco, doctor Well. Como dice la plena: *el negro quiere ser blanco, y el blanco echar para atrás*" (206). La propia Cambucha cae en la cuenta de que corre el riesgo de enloquecer por su empeño en parecer blanca. El retrato del padre blanco de Cambucha, que ha sido testigo mudo de toda la historia en el domicilio familiar, es simbólicamente destruido por ella cuando, desengañada, acepta su condición de mulata.

Volviendo al título de la obra: *Sirena*, podría ser interpretado en primera instancia aludiendo al atractivo que ejercen las jóvenes negras o mulatas sobre el resto de la población. En el acto I, Pedro Alejandro muestra un retrato de Cambucha en traje de baño, a quien llama "diosa de canela" (170). Así lo entiende la comentarista de la obra a raíz de su estreno:

> Sirena enlaza tema y asunto con la fuerza poética de los viejos mitos. El título de la obra está tomado en realidad de esos seres míticos de la antigua Grecia que poblaban los mares abiertos encantando y causando la destrucción de los navegantes. Cambucha Beltrán, protagonista de Arriví, al someterse a una operación plástica para eliminar de su rostro todo rasgo negroide, ansía convertirse en sirena para encantar al hombre de su corazón, pero irónicamente, trágicamente se destruye a sí misma[49].

La lectura intertextual permite ahondar en la última idea apuntada por la comentarista, pues, como vimos en *La sirena varada* de Casona (a mi

---

[49]   Madeline Willemsen, "Sirena de Francisco Arriví". En *El Mundo*, 7 de agosto de 1959; cito por Morfi 1980: 443.

juicio, la más próxima a Arriví, antes que Giraudoux o Nalé Roxlo), la primera engañada en la historia es la propia sirena, quien cree ser lo que no es, enajenada, hasta que acepta ser lo que es en la realidad. Duro consejo de aceptación de la verdad para los que poseen sangre negra, que puede ser considerado fruto de una mentalidad más conservadora, pero que, tal como propone Arriví, también sirve de base para la completa inserción social, como ocurre con el mulato Pedro Alejandro. El carácter simbólico e intertextual del título, así como otros aspectos que acabo de comentar, principalmente el pasaje freudiano de la pesadilla de Cambucha, chocan con el realismo descarnado del resto de la pieza y su determinismo; lo cual ha sido visto como un error en su planteamiento. Como concluye Montes Huidobro(1986) al analizarla:

> [...] la concepción simbólico-expresionista crea un problema de estilo, ya que choca con la fuerte dosis de realidad que hay detrás. Como indagación en la vida y máscara de la existencia puertorriqueña, como medio para un conocimiento de su 'persona', *Sirena* es rica en factores que invitan al análisis. Sus virtudes éticas superan, sin duda, las limitaciones estéticas que se puedan apuntar. (150)

Confío en que este recorrido por cuatro "Sirenas" haya servido para comprender mejor la evolución de estilos, desde el Realismo decimonónico a la incursión en un Simbolismo fantástico, para volver nuevamente a un nuevo Realismo, el cual ya no trata de ser sólo una imitación de la vida, pero tampoco ha acabado de encontrar el enfoque adecuado.

Bibliografía

1. Obras dramáticas analizadas de Casona, Giraudoux, Nalé Roxlo, Arriví

Arriví, Francisco (1971): *Máscara puertorriqueña. Bolero y Plena. Sirena. Vejigantes.* Río Piedras, Puerto Rico: Editorial Cultural.

Casona, Alejandro (°1995): *La sirena varada. Los árboles mueren de pie.* Edición Carmen Díaz Castañón. Madrid: Espasa-Calpe.

Giraudoux, Jean (1982): *Ondine.* En su *Théâtre complet.* Préface de Jean-Pierre Giraudoux. Introduction Générale de Jacques Body. Édition publiée sous la direction de Jacques Body. Paris : Éditions Gallimard.

— (1972): *Ondina.* Traducción Fernando Díaz-Plaja. Barcelona: Círculo de Lectores.

Nalé Roxlo, Conrado (1962): *La cola de la sirena.* En *Teatro argentino contemporáneo.* Prólogo de Arturo Berenguer Carisomo. Madrid: Aguilar.

2. Otras obras de los autores anteriores, estudios críticos

Aguilera, Juan; Aznar Soler, Manuel (1999): *Cipriano de Rivas Cherif y el teatro español de su época (1891-1967).* Madrid: Publicaciones de la Asociación de Directores de Escena de España.

Arriví, Francisco (1966): *Areyto mayor.* San Juan de Puerto Rico: Instituto de Cultura Puertorriqueña.

— (1960): *La generación del treinta: el teatro.* Ciclo de conferencias sobre la Literatura de Puerto Rico. San Juan de Puerto Rico: Instituto de Cultura Puertorriqueña.

— (1967): *Conciencia puertorriqueña del teatro contemporáneo 1937-1956.* San Juan de Puerto Rico: Instituto de Cultura Puertorriqueña.

Bernal Labrada, Hilda (1972): *Símbolo, mito y leyenda en el teatro de Casona.* Oviedo: Diputación de Asturias. Instituto de Estudios Asturianos del Patronato José M. Quadrado.

Blake Phillips, Jordan (1972): *Contemporary Puerto Rican Drama.* New York: Plaza Mayor.

Braschi, Wilfredo (1970): *Apuntes sobre el teatro puertorriqueño.* San Juan de Puerto Rico: Editorial Coquí. Ediciones Boriquen.

Casona, Alejandro (1964): "Alejandro Casona frente a su teatro" [entrevista por José Monleón]. En: *Primer acto,* n° 49, enero, pp. 16-19.

Conjunto, La Habana, julio-septiembre 1991, artículos dedicados al conflicto racial en el teatro puertorriqueño.

Dauster, Frank (1962): "Francisco Arriví: The Mask and the Garden". En: *Hispania,* vol. XLV, n° 4, pp. 637-643.

[*Catálogo de la*] *Exposición Homenaje dedicado a Francisco Arriví*, San Juan de Puerto Rico, 27 Mo. Festival de Teatro Puertorriqueño, Marzo-Abril 1986.

Historia de la literatura argentina, vol. 4: *Los proyectos de la vanguardia*. Dirección Susana Zanetti. Buenos Aires: Centro Editor de América Latina, 1980/1986. Conrado Nalé Roxlo, en María Raquel Llagostera: "La poesía de 1922" y Luis Ordaz: "Los poetas en el teatro".

MONTES HUIDOBRO, Matías (1986): *Persona: Vida y Máscara en el teatro puertorriqueño*. San Juan, Puerto Rico: Centro de Estudios Avanzados de Puerto Rico y el Caribe, Ateneo Puertorriqueño, Universidad Interamericana, Tinglado Puertorriqueño.

MORFI, Angelina (1980): *Historia crítica de un siglo de teatro puertorriqueño*. San Juan: Instituto de Cultura Puertorriqueña.

NALÉ ROXLO, Conrado (1971): *Antología apócrifa*. Estudio preliminar y notas de María Hortensia Lacau. Edición dirigida por María Hortensia Lacau. Buenos Aires: Kapelusz.

— (2003): *Apócrifos españoles*. Sevilla: Renacimiento.

— (1969): *Nueva antología apócrifa*. Buenos Aires: Compañía General Fabril Editora.

ORDAZ, Luis (1957): *El teatro en el Río de la Plata*. Buenos Aires: Leviatán.

PELLETIERI, Osvaldo (dir.) (2002): *Historia del Teatro Argentino en Buenos Aires (1770-1998)*. Vol. II: *La emancipación cultural (1884-1930)*. Buenos Aires: Galerna.

REVERTE BERNAL, Concepción (2004): "Una escritura fronteriza: Notas sobre el teatro poético hispanoamericano a través de dos obras del puertorriqueño Francisco Arriví". Comunicación *XXXV Congreso del I.I.L.I.*, Poitiers.

RIVERA DE ÁLVAREZ, Josefina (1983): *Literatura puertorriqueña. Su proceso en el tiempo*. Madrid: Partenón.

ROBICHEZ, Jacques (1976): *Le théâtre de Giraudoux*. Paris: Société d'Édition d'Enseignement Supérieur.

RODRÍGUEZ RICHART, José (2003): "Casona y el teatro del exilio". En: Javier Huerta Calvo (dir.): *Historia del teatro español*, t. II: *Del siglo XVIII a la época actual*, DOMÉNECH RICO, Fernando; PERAL VEGA, Emilio (coords.), Madrid: Gredos, pp. 2665-2701.

SOLÓRZANO, Carlos (1964): *Teatro latinoamericano en el siglo XX*. México, D.F.: Pormaca. "Conrado Nalé Roxlo", pp. 58-61; "Francisco Arriví", pp. 117-119.

ZAYAS DE LIMA, Perla (1991): *Diccionario de Autores Teatrales Argentinos (1950-1990)*. Buenos Aires: Galerna.

— (1990): *Diccionario de Directores y Escenógrafos del Teatro Argentino*. Buenos Aires: Galerna.

3. Otros

Aghion, I.; Barbillon, C.; Lissarrague, F. (1997): *Guía iconográfica de los héroes y dioses de la Antigüedad*. Versión española de Antonio Guzmán Guerra. Madrid: Alianza Editorial.

Foster, David William (1998): *Buenos Aires. Perspectives on the City and Cultural Production*. Gainesville: University Press of Florida.

Frenzel, Elisabeth (1976): *Diccionario de argumentos de la literatura universal*. Versión española de Carmen Schad de Caneda. Madrid: Gredos (reimpresión 1994).

Hinterhäuser, Hans (1980): *Fin de siglo. Figuras y mitos*. Madrid: Taurus.

Leclerq-marx, Jacqueline (1997): *La Sirène dans la pensée et dans l'art de l'Antiquité et du Moyen Âge*. Du mythe païen au symbole chrétien. Publié avec le concours de la Fondation Universitaire de Belgique et de la Fondation Francqui. Bruxelles: Classe des Beaux-Artes. Académie Royale de Belgique.

Martínez Sierra, Gregorio (1899): *Diálogos fantásticos*. Prólogo de Salvador Rueda. Madrid: Tip. de A. Pérez y P. García.

La Motte-fouqué, Barón de (²1986): *Ondina*. Prólogo de Manuel Medeiros. Barcelona: Ediciones Obelisco.

Neruda, Pablo (1958): *Estravagario*. Buenos Aires: Losada.

— (1999): *Obras completas*, vol. II: *De "Odas elementales" a "Memorial de Isla Negra", 1954-1964*. Edición y notas de Hernán Loyola. Prólogo de Saúl Yurkievich. Barcelona: Galaxia Gutenberg, Círculo de Lectores.

Forster, Merlin H.: *Las vanguardias literarias en México y la América Central*. 2001, 358 p. (Bibliografía y Antología Crítica de las Vanguardias Literarias en el Mundo Hispánico, 4) ISBN 8495107902
* Este libro ofrece información bibliográfica muy completa sobre las vanguardias en México y América Central. Herramienta imprescindible para el estudio de la literatura vanguardista.

García, Carlos; Reichardt, Dieter: *Las vanguardias literarias en Argentina, Uruguay y Paraguay*. 2003, 412 p. (Bibliografía y Antología Crítica de las Vanguardias Literarias en el Mundo Hispánico, 6) ISBN 8484891119
* El volumen ofrece una visión fundamental y amplia sobre las vanguardias literarias de estos tres países en la primera mitad del siglo xx.

Jackson, K. David: *A Vanguarda Literária no Brasil*. 1998, 352 p. (Bibliografia e Antologia crítica. Bibliografía y Antología Crítica de las Vanguardias Literarias en el Mundo Hispánico, 1) ISBN 8488906889
* Contém informações sobre as obras mais experimentais e ousadas da vanguarda histórica dos anos 20. Com uma extensa antologia de ensaios críticos colecionados e reproduzidos pela primeira vez.

Jackson, K. David: *As primeiras vanguardas em Portugal*. 2003, 590 p. (Bibliografía y Antología Crítica de las Vanguardias Literarias en el Mundo Hispánico, 5) ISBN 8484890899
* Contém informaçoes sobre as obras mais experimentais e ousadas da vanguarda histórica do primeiro modernismo. Trata de alguns dos autores mais celebres do século: Pessoa, Sá-Carneiro, Alamada Negreiros, Botto. etc.

Müller-Bergh, Klaus; Mendonça Teles, Gilberto (eds.): *Vanguardia latinoamericana. Tomo I: México y América Central*. Segunda edición 2007. 360 p. (Vanguardia latinoamericana, 1) ISBN 8484892522
* Importante recopilación de textos vanguardistas latinoamericanos, precedidos de un exhaustivo estudio sobre las vanguardias en la zona.

Müller-Bergh, Klaus; Mendonça Teles, Gilberto (eds.): *Vanguardia latinoamericana. Tomo II: Caribe, Antillas Mayores y Menores*. 2002, 282 p. (Vanguardia latinoamericana, 2) ISBN 8484890449
* Textos fidedignos de los manifiestos, proclamas, poemas y escritos estéticos de las vanguardias.

Müller Bergh, Klaus; Mendonça Teles, Gilberto (eds.): *Vanguardia latinoamericana. Tomo III: Área andina norte: Colombia y Venezuela*. 2004, 268 p. (Vanguardia latinoamericana, 3) ISBN 8484891062
Compila documentos, textos, proclamas, de una de las zonas del continente más sorprendentes y complejas en el contexto vanguardista latinoamericano.

Müller Bergh, Klaus; Mendonça Teles, Gilberto (eds.): *Vanguardia latinoamericana. Tomo IV: Sudamérica, Área Andina Centro: Ecuador, Perú y Bolivia*. 2005, 350 p. (Vanguardia latinoamericana, 4) ISBN 8484891070
* Compila textos representativos de la vanguardia literaria en el ámbito andino de autores como César Vallejo, José Carlos Mariátegui, Magda Portal, Jorge Basadre, José de la Cuadra y Óscar Cerruto, entre otros.

Pöppel, Hubert: *Las vanguardias literarias en Bolivia, Colombia, Ecuador, Perú.* 1999, 225 p. (Bibliografía y Antología Crítica de las Vanguardias Literarias en el Mundo Hispánico, 2) ISBN 8495107112
* Estudio sobre las vanguardias en estos cuatro países. Además de los nombres de autores de fama mundial, aporta investigaciones sobre otros literatos menos conocidos.

Wentzlaff-Eggebert, Harald: *Las vanguardias literarias en España.* 1999, 665 p. (Bibliografía y Antología Crítica de las Vanguardias Literarias en el Mundo Hispánico, 3) ISBN 8495107139
* Completa información bibliográfica sobre la literatura vanguardista escrita en castellano y gallego. Incluye, además una selección de trabajos críticos sobre el tema posteriores a 1985.

Teatro en Iberoamericana

Adler, Heidrun; Chabaud, Jaime (eds.): *Un viaje sin fin: teatro mexicano hoy.* 2004, 238 p. (Teatro en Latinoamérica, 14) ISBN 8484891712
* Completísima monografía que, en 20 contribuciones de otros tantos especialistas, realiza un exhaustivo panorama del teatro mexicano contemporáneo.

Adler, Heidrun; Röttger, Kati (eds.): *Performance, Pathos, Política de los Sexos. Teatro postcolonial de autoras latinoamericanas.* 1999, 242 p. (Teatro en Latinoamérica, 3) ISBN 8495107317
* Colección de ensayos sobre teatro latinoamericano escrito por mujeres y en el cual el punto de gravedad gira alrededor de personajes femeninos.

Adler, Heidrun; Woodyard, George (eds.): *Resistencia y poder: Teatro en Chile.* 2000, 192 p. (Teatro en Latinoamérica, 8) ISBN 8495107945
* El teatro chileno moderno constituye un poder que exige memoria, exhorta a la dignidad individual y colectiva, y libera al teatro mismo del tutelaje de la dramaturgia europea.

Adler, Heidrun; Herr, Adrián (eds.): *Extraños en dos patrias. Teatro latinoamericano en el exilio.* 2003, 213 p. (Teatro en Latinoamérica, 12) ISBN 8484890821
* El volumen recopila trece artículos, de otros tantos especialistas, que versan sobre diversos aspectos del teatro latinoamericano en el exilio, tanto en Europa (España, Francia, Alemania), como en Estados Unidos.

Floeck, Wilfried; Vilches de Frutos, María F. (eds.): *Teatro y sociedad en la España actual.* 2004, 396 p. (Teoría y Práctica del Teatro, 13) ISBN 8484891402
* Completo análisis del teatro contemporáneo español, en el que, según los autores, se percibe una vuelta a las temáticas «comprometidas» que no puede entenderse sin analizar su estrecha relación con la sociedad actual.

Rizk, Beatriz J.: *Posmodernismo y teatro en América Latina. Teorías y prácticas en el umbral del siglo XXI.* 2001, 364 p. ISBN 8495107988
* Análisis del teatro latinoamericano de fines de siglo en el que se hace repaso de la relación entre teatro y feminismo, la problemática de las minorías y de la gente marginada, además de analizar géneros mixtos y el arte performativo.

Sullivan, Henry W.: *El Calderón alemán. Recepción e influencia de un genio hispano (1654-1980)*. 1997, 540 p. (Teoría y Práctica del Teatro, 7) ISBN 8488906633
* Sullivan documenta y analiza la recepción de Calderón en los países de habla alemana, así como la influencia del autor español en el teatro y la dramaturgia, la crítica, la filosofía y la música de dichos países.

Toro, Alfonso de: *Estrategias postmodernas y postcoloniales en el teatro latinoamericano actual*. 2004, 544 p. (Teoría y Práctica del Teatro, 11) ISBN 8484891259
* Esta obra es el resultado de una investigación desarrollada entre 1997 y 2002 que abarca una amplia gama temática, como la espectacularidad, la teatralidad y la escenificación, desde un enfoque de teoría cultural.

Toro, Alfonso de; Pörtl, Klaus (eds.): *Variaciones sobre el teatro latinoamericano. Tendencias y perspectivas*. 1996, 247 p. (Teoría y Práctica del Teatro, 5) ISBN 8488906420
* Estudios sobre el teatro de Eduardo Pavlovsky, el teatro chileno y la expresión nacional del teatro ecuatoriano, entre otros temas.

Toro, Alfonso de; Toro, Fernando de (eds.): *Acercamientos al teatro actual (1970-1995). Historia - Teoría - Práctica*. 1997, 212 p. (Teoría y Práctica del Teatro, 8) ISBN 8488906803
* En 12 contribuciones, especialistas del teatro (críticos, directores y dramaturgos) se ocupan de diversas prácticas teatrales de los años 80 y 90, abriendo la vista además hacia el teatro del siglo XXI en América Latina y Europa.

Toro, Alfonso de: *De las similitudes y diferencias. Honor y drama de los siglos XVI y XVII en Italia y España*. 1998, 686 p. (Teoría y Práctica del Teatro, 9) ISBN 8495107147
* La investigación del autor es una obra fundamental que desarrolla en el contexto de una concepción semiótico-epistemológica de la teoría de la cultura un amplio modelo de interpretación.

Toro, Fernando de: Intersecciones: *Ensayos sobre teatro. Semiótica, antropología, teatro latinoamericano, post-modernidad, feminismo, post-colonialidad*. 1999 232 p. (Teoría y Práctica del Teatro, 10) ISBN 8495107333
* Estudio sobre el tránsito de la semiótica del teatro a la actual teoría de la postcolonialidad, la antropología teatral, los estudios sobre postmodernismo, feminismo, deconstrucción y post-feminismo.